JOSEPH VON EICHENDORFF

Aus dem Leben
eines Taugenichts

NOVELLE

NACHWORT VON
KONRAD NUSSBÄCHER

PHIL

Der vorliegende Text folgt dem Erstdruck: Aus dem Leben
eines Taugenichts und das Marmorbild. Zwei Novellen
nebst einem Anhange von Liedern und Romanzen von
Joseph Freiherrn von Eichendorff. Berlin: Vereinsbuch-
handlung, 1826. – Orthographie und Interpunktion wurden
behutsam dem heutigen Gebrauch angeglichen, Anmerkun-
gen S. 102 beigefügt.

Universal-Bibliothek Nr. 2354
Alle Rechte vorbehalten. © 1970 Philipp Reclam jun., Stuttgart
Satz: Walter Rost, Stuttgart
Druck und Bindung: Reclam, Ditzingen
Printed in Germany 1987
ISBN 3-15-002354-8

Das Rad an meines Vaters Mühle brauste und rauschte schon wieder recht lustig, der Schnee tröpfelte emsig vom Dache, die Sperlinge zwitscherten und tummelten sich dazwischen; ich saß auf der Türschwelle und wischte mir den Schlaf aus den Augen, mir war so recht wohl in dem warmen Sonnenscheine. Da trat der Vater aus dem Hause; er hatte schon seit Tagesanbruch in der Mühle rumort und die Schlafmütze schief auf dem Kopfe, der sagte zu mir: »Du Taugenichts! da sonnst du dich schon wieder und dehnst und reckst dir die Knochen müde und läßt mich alle Arbeit allein tun. Ich kann dich hier nicht länger füttern. Der Frühling ist vor der Türe, geh auch einmal hinaus in die Welt und erwirb dir selber dein Brot.« – »Nun«, sagte ich, »wenn ich ein Taugenichts bin, so ist's gut, so will ich in die Welt gehen und mein Glück machen.« Und eigentlich war mir das recht lieb, denn es war mir kurz vorher selber eingefallen, auf Reisen zu gehn, da ich den Goldammer, der im Herbst und Winter immer betrübt an unserem Fenster sang: »Bauer, miet mich, Bauer miet mich!« nun in der schönen Frühlingszeit wieder ganz stolz und lustig vom Baume rufen hörte: »Bauer, behalt deinen Dienst!« – Ich ging also in das Haus hinein und holte meine Geige, die ich recht artig spielte, von der Wand, mein Vater gab mir noch einige Groschen Geld mit auf den Weg, und so schlenderte ich durch das lange Dorf hinaus. Ich hatte recht meine heimliche Freud', als ich da alle meine alten Bekannten und Kameraden rechts und links, wie gestern und vorgestern und immerdar, zur Arbeit hinauszogen, graben und pflügen sah, während ich so in die freie Welt hinausstrich. Ich rief den armen Leuten nach allen Seiten recht stolz und zufrieden Adjes zu, aber es kümmerte sich eben keiner sehr darum. Mir war es wie ein ewiger Sonntag im Gemüte. Und als ich endlich ins freie Feld hinauskam, da nahm ich meine liebe Geige vor und spielte und sang, auf der Landstraße fortgehend:

3

»Wem Gott will rechte Gunst erweisen,
Den schickt er in die weite Welt,
Dem will er seine Wunder weisen
In Berg und Wald und Strom und Feld.

Die Trägen, die zu Hause liegen,
Erquicket nicht das Morgenrot,
Sie wissen nur vom Kinderwiegen,
Von Sorgen, Last und Not um Brot.

Die Bächlein von den Bergen springen,
Die Lerchen schwirren hoch vor Lust,
Was sollt' ich nicht mit ihnen singen
Aus voller Kehl' und frischer Brust?

Den lieben Gott laß ich nur walten;
Der Bächlein, Lerchen, Wald und Feld
Und Erd' und Himmel will erhalten,
Hat auch mein' Sach' aufs best' bestellt!«

Indem, wie ich mich so umsehe, kömmt ein köstlicher
Reisewagen ganz nahe an mich heran, der mochte wohl schon
einige Zeit hinter mir drein gefahren sein, ohne daß ich es
merkte, weil mein Herz so voller Klang war, denn es ging
ganz langsam, und zwei vornehme Damen steckten die
Köpfe aus dem Wagen und hörten mir zu. Die eine war besonders schön und jünger als die andere, aber eigentlich gefielen sie mir alle beide. Als ich nun aufhörte zu singen, ließ
die ältere stillhalten und redete mich holdselig an: »Ei, lustiger Gesell, Er weiß ja recht hübsche Lieder zu singen.« Ich
nicht zu faul dagegen: »Ew. Gnaden aufzuwarten, wüßt'
ich noch viel schönere.« Darauf fragte sie mich wieder: »Wohin wandert Er denn schon so am frühen Morgen?« Da
schämte ich mich, daß ich das selber nicht wußte, und sagte
dreist: »Nach W.«; nun sprachen beide miteinander in einer
fremden Sprache, die ich nicht verstand. Die jüngere schüt-

telte einigemal mit dem Kopfe, die andere lachte aber in einem fort und rief mir endlich zu: »Spring Er nur hinten mit auf, wir fahren auch nach W.« Wer war froher als ich! Ich machte einen Reverenz und war mit einem Sprunge hinter dem Wagen, der Kutscher knallte, und wir flogen über die glänzende Straße fort, daß mir der Wind am Hute pfiff.

Hinter mir gingen nun Dorf, Gärten und Kirchtürme unter, vor mir neue Dörfer, Schlösser und Berge auf; unter mir Saaten, Büsche und Wiesen bunt vorüberfliegend, über mir unzählige Lerchen in der klaren blauen Luft – ich schämte mich, laut zu schreien, aber innerlichst jauchzte ich und strampelte und tanzte auf dem Wagentritt herum, daß ich bald meine Geige verloren hätte, die ich unterm Arme hielt. Wie aber denn die Sonne immer höher stieg, rings am Horizont schwere weiße Mittagswolken aufstiegen und alles in der Luft und auf der weiten Fläche so leer und schwül und still wurde über den leise wogenden Kornfeldern, da fiel mir erst wieder mein Dorf ein und mein Vater und unsere Mühle, wie es da so heimlich kühl war an dem schattigen Weiher, und daß nun alles so weit, weit hinter mir lag. Mir war dabei so kurios zumute, als müßt' ich wieder umkehren; ich steckte meine Geige zwischen Rock und Weste, setze mich voller Gedanken auf den Wagentritt hin und schlief ein.

Als ich die Augen aufschlug, stand der Wagen still unter hohen Lindenbäumen, hinter denen eine breite Treppe zwischen Säulen in ein prächtiges Schloß führte. Seitwärts durch die Bäume sah ich die Türme von W. Die Damen waren, wie es schien, längst ausgestiegen, die Pferde abgespannt. Ich erschrak sehr, da ich auf einmal so allein saß, und sprang geschwind in das Schloß hinein, da hörte ich von oben aus dem Fenster lachen.

In diesem Schlosse ging es mir wunderlich. Zuerst, wie ich mich in der weiten, kühlen Vorhalle umschaue, klopft mir jemand mit dem Stocke auf die Schulter. Ich kehre mich schnell herum, da steht ein großer Herr in Staatskleidern,

5

ein breites Bandelier von Gold und Seide bis an die Huften übergehängt, mit einem oben versilberten Stabe in der Hand und einer außerordentlich langen, gebognen, kurfürstlichen Nase im Gesicht, breit und prächtig wie ein aufgeblasener Puter, der mich frägt, was ich hier will. Ich war ganz verblüfft und konnte vor Schreck und Erstaunen nichts hervorbringen. Darauf kamen mehrere Bedienten die Treppe herauf und herunter gerennt, die sagten gar nichts, sondern sahen mich nur von oben bis unten an. Sodann kam eine Kammerjungfer (wie ich nachher hörte) grade auf mich los und sagte: ich wäre ein charmanter Junge und die gnädige Herrschaft ließe mich fragen, ob ich hier als Gärtnerbursche dienen wollte? – Ich griff nach der Weste; meine paar Groschen, weiß Gott, sie müssen beim Herumtanzen auf dem Wagen aus der Tasche gesprungen sein, waren weg, ich hatte nichts als mein Geigenspiel, für das mir überdies auch der Herr mit dem Stabe, wie er mir im Vorbeigehn sagte, nicht einen Heller geben wollte. Ich sagte daher in meiner Herzensangst zu der Kammerjungfer: Ja, noch immer die Augen von der Seite auf die unheimliche Gestalt gerichtet, die immerfort wie der Perpendikel einer Turmuhr in der Halle auf und ab wandelte und eben wieder majestätisch und schauerlich aus dem Hintergrunde heraufgezogen kam. Zuletzt kam endlich der Gärtner, brummte was von Gesindel und Bauerlümmel unterm Bart und führte mich nach dem Garten, während er mir unterwegs noch eine lange Predigt hielt: wie ich nur fein nüchtern und arbeitsam sein, nicht in der Welt herumvagieren, keine brotlosen Künste und unnützes Zeug treiben solle, da könnt ich es mit der Zeit auch einmal zu was Rechtem bringen. – Es waren noch mehr sehr hübsche, gutgesetzte, nützliche Lehren, ich habe nur seitdem fast alles wieder vergessen. Überhaupt weiß ich eigentlich gar nicht recht, wie doch alles so gekommen war, ich sagte nur immerfort zu allem: Ja –, denn mir war wie einem Vogel, dem die Flügel begossen worden sind. – So war ich denn, Gott sei Dank, im Brote. –

6

In dem Garten war schön leben, ich hatte täglich mein warmes Essen vollauf und mehr Geld, als ich zu Weine brauchte, nur hatte ich leider ziemlich viel zu tun. Auch die Tempel, Lauben und schönen grünen Gänge, das gefiel mir alles recht gut, wenn ich nur hätte ruhig drin herumspazieren können und vernünftig diskurrieren, wie die Herren und Damen, die alle Tage dahin kamen. Sooft der Gärtner fort und ich allein war, zog ich sogleich mein kurzes Tabakspfeifchen heraus, setzte mich hin und sann auf schöne höfliche Redensarten, wie ich die eine junge schöne Dame, die mich in das Schloß mitbrachte, unterhalten wollte, wenn ich ein Kavalier wäre und mit ihr hier herumginge. Oder ich legte mich an schwülen Nachmittagen auf den Rücken hin, wenn alles so still war, daß man nur die Bienen sumsen hörte, und sah zu, wie über mir die Wolken nach meinem Dorfe zuflogen und die Gräser und Blumen sich hin und her bewegten, und gedachte an die Dame, und da geschah es denn oft, daß die schöne Frau mit der Gitarre oder einem Buche in der Ferne wirklich durch den Garten zog, so still, groß und freundlich wie ein Engelsbild, so daß ich nicht recht wußte, ob ich träumte oder wachte.

So sang ich auch einmal, wie ich eben bei einem Lusthause zur Arbeit vorbei ging, für mich hin:

> »Wohin ich geh und schaue,
> In Feld und Wald und Tal,
> Vom Berg ins Himmelsblaue,
> Vielschöne gnäd'ge Fraue,
> Grüß ich dich tausendmal.«

Da seh ich aus dem dunkelkühlen Lusthause zwischen den halbgeöffneten Jalousien und Blumen, die dort standen, zwei schöne, junge, frische Augen hervorfunkeln. Ich war ganz erschrocken, ich sang das Lied nicht aus, sondern ging, ohne mich umzusehen, fort an die Arbeit.

Abends, es war grade an einem Sonnabend, und ich stand

7

eben in der Vorfreude kommenden Sonntags mit der Geige im Gartenhause am Fenster und dachte noch an die funkelnden Augen, da kommt auf einmal die Kammerjungfer durch die Dämmerung dahergestrichen. »Da schickt Euch die vielschöne gnädige Frau was, das sollt Ihr auf ihre Gesundheit trinken. Eine gute Nacht auch!« Damit setzte sie mir fix eine Flasche Wein aufs Fenster und war sogleich wieder zwischen den Blumen und Hecken verschwunden wie eine Eidechse.

Ich aber stand noch lange vor der wundersamen Flasche und wußte nicht, wie mir geschehen war. – Und hatte ich vorher lustig die Geige gestrichen, so spielt' und sang ich jetzt erst recht und sang das Lied von der schönen Frau ganz aus und alle meine Lieder, die ich nur wußte, bis alle Nachtigallen draußen erwachten und Mond und Sterne schon lange über dem Garten standen. Ja, das war einmal eine gute, schöne Nacht!

Es wird keinem an der Wiege gesungen, was künftig aus ihm wird, eine blinde Henne find't manchmal auch ein Korn, wer zuletzt lacht, lacht am besten, unverhofft kommt oft, der Mensch denkt und Gott lenkt, so meditiert' ich, als ich am folgenden Tage wieder mit meiner Pfeife im Garten saß und es mir dabei, da ich so aufmerksam an mir heruntersah, fast vorkommen wollte, als wäre ich doch eigentlich ein rechter Lump. – Ich stand nunmehr, ganz wider meine sonstige Gewohnheit, alle Tage sehr zeitig auf, eh' sich noch der Gärtner und die andern Arbeiter rührten. Da war es so wunderschön draußen im Garten. Die Blumen, die Springbrunnen, die Rosenbüsche und der ganze Garten funkelten von der Morgensonne wie lauter Gold und Edelstein. Und in den hohen Buchenalleen, da war es noch so still, kühl und andächtig wie in einer Kirche, nur die Vögel flatterten und pickten auf dem Sande. Gleich vor dem Schlosse, grade unter den Fenstern, wo die schöne Frau wohnte, war ein blühender Strauch. Dorthin ging ich dann immer am frühesten Morgen und duckte mich hinter die Äste, um so nach den Fenstern zu sehen, denn mich im Freien zu produzieren

8

hatt' ich keine Courage. Da sah ich nun allemal die allerschönste Dame noch heiß und halb verschlafen im schneeweißen Kleide an das offne Fenster hervortreten. Bald flocht sie sich die dunkelbraunen Haare und ließ dabei die anmutig spielenden Augen über Busch und Garten ergehen, bald bog und band sie die Blumen, die vor ihrem Fenster standen, oder sie nahm auch die Gitarre in den weißen Arm und sang dazu so wundersam über den Garten hinaus, daß sich mir noch das Herz umwenden will vor Wehmut, wenn mir eins von den Liedern bisweilen einfällt – und ach, das alles ist schon lange her!

So dauerte das wohl über eine Woche. Aber das eine Mal, sie stand grade wieder am Fenster und alles war stille rings umher, fliegt mir eine fatale Fliege in die Nase, und ich gebe mich an ein erschreckliches Niesen, das gar nicht enden will. Sie legt sich weit zum Fenster hinaus und sieht mich Ärmsten hinter dem Strauche lauschen. – Nun schämte ich mich und kam viele Tage nicht hin.

Endlich wagte ich es wieder, aber das Fenster blieb diesmal zu, ich saß vier, fünf, sechs Morgen hinter dem Strauche, aber sie kam nicht wieder ans Fenster. Da wurde mir die Zeit lang, ich faßte ein Herz und ging nun alle Morgen frank und frei längs dem Schlosse unter allen Fenstern hin. Aber die liebe schöne Frau blieb immer und immer aus. Eine Strecke weiter sah ich dann immer die andere Dame am Fenster stehn. Ich hatte sie sonst so genau noch niemals gesehen. Sie war wahrhaftig recht schön rot und dick und gar prächtig und hoffärtig anzusehn, wie eine Tulipane. Ich machte ihr immer ein tiefes Kompliment, und, ich kann nicht anders sagen, sie dankte mir jedesmal und nickte und blinzelte mit den Augen dazu ganz außerordentlich höflich. – Nur ein einziges Mal glaub ich gesehn zu haben, daß auch die Schöne an ihrem Fenster hinter der Gardine stand und versteckt hervorguckte. –

Viele Tage gingen jedoch ins Land, ohne daß ich sie sah. Sie kam nicht mehr in den Garten, sie kam nicht mehr ans

Fenster. Der Gärtner schalt mich einen faulen Bengel, ich war verdrüßlich, meine eigne Nasenspitze war mir im Wege, wenn ich in Gottes freie Welt hinaussah.

So lag ich eines Sonntags nachmittag im Garten und ärgerte mich, wie ich so in die blauen Wolken meiner Tabakspfeife hinaussah, daß ich mich nicht auf ein anderes Handwerk gelegt und mich also morgen nicht auch wenigstens auf einen blauen Montag zu freuen hätte. Die andern Bursche waren indes alle wohlausstaffiert nach den Tanzböden in der nahen Vorstadt hinausgezogen. Da wallte und wogte alles im Sonntagsputze in der warmen Luft zwischen den lichten Häusern und wandernden Leierkasten schwärmend hin und zurück. Ich aber saß wie ein Rohrdommel im Schilfe eines einsamen Weihers im Garten und schaukelte mich auf dem Kahne, der dort angebunden war, während die Vesperglocken aus der Stadt über den Garten herüberschallten und die Schwäne auf dem Wasser langsam neben mir hin und her zogen. Mir war zum Sterben bange. –

Währenddes hörte ich von weitem allerlei Stimmen, lustiges Durcheinandersprechen und Lachen, immer näher und näher, dann schimmerten rot und weiße Tücher, Hüte und Federn durchs Grüne, auf einmal kommt ein heller, lichter Haufen von jungen Herren und Damen vom Schlosse über die Wiese auf mich los, meine beide Damen mitten unter ihnen. Ich stand auf und wollte weggehen, da erblickte mich die ältere von den schönen Damen. »Ei, das ist ja wie gerufen«, rief sie mir mit lachendem Munde zu, »fahr Er uns doch an das jenseitige Ufer über den Teich!« Die Damen stiegen nun eine nach der andern vorsichtig und furchtsam in den Kahn, die Herren halfen ihnen dabei und machten sich ein wenig groß mit ihrer Kühnheit auf dem Wasser. Als sich darauf die Frauen alle auf die Seitenbänke gelagert hatten, stieß ich vom Ufer. Einer von den jungen Herren, der ganz vorn stand, fing unmerklich an zu schaukeln. Da wandten sich die Damen furchtsam hin und her, einige schrien gar. Die schöne Frau, welche eine Lilie in der Hand hielt, saß dicht am Bord des Schiffleins und sah stillächelnd in die klaren Wellen hinunter, die sie mit der Lilie berührte, so daß ihr ganzes Bild zwischen den wiederscheinenden Wolken und Bäumen im Wasser noch einmal zu sehen war, wie ein Engel, der leise durch den tiefen blauen Himmelsgrund zieht.

Wie ich noch so auf sie hinsehe, fällt's auf einmal der andern lustigen Dicken von meinen zwei Damen ein, ich sollte ihr während der Fahrt eins singen. Geschwind dreht sich ein sehr zierlicher junger Herr mit einer Brille auf der Nase, der neben ihr saß, zu ihr herum, küßt ihr sanft die Hand und sagt: »Ich danke Ihnen für den sinnigen Einfall! Ein Volkslied, *gesungen* vom Volk in freiem Feld und Wald, ist ein Alpenröslein auf der Alpe selbst – die Wunderhörner sind nur Herbarien –, ist die Seele der Nationalseele.« Ich aber sagte, ich wisse nichts zu singen, was für solche Herrschaften schön genug wäre. Da sagte die schnippische Kammerjungfer, die mit einem Korbe voll Tassen und Flaschen hart neben mir stand und die ich bis jetzt noch gar nicht bemerkt hatte: »Weiß Er doch ein recht hübsches Liedchen von einer vielschönen Fraue.« – »Ja, ja, das sing Er nur recht dreist weg«, rief darauf sogleich die Dame wieder. Ich wurde über und über rot. – Indem blickte auch die schöne Frau auf einmal vom Wasser auf und sah mich an, daß es mir durch Leib und Seele ging. Da besann ich mich nicht lange, faßt' ein Herz und sang so recht aus voller Brust und Lust:

> »Wohin ich geh und schaue,
> In Feld und Wald und Tal,
> Vom Berg hinab in die Aue:
> Vielschöne, hohe Fraue,
> Grüß ich dich tausendmal.
>
> In meinem Garten find ich
> Viel Blumen, schön und fein,
> Viel Kränze wohl draus wind ich,

Und tausend Gedanken bind ich
Und Grüße mit darein.

Ihr darf ich keinen reichen,
Sie ist zu hoch und schön,
Die müssen alle verbleichen,   5
Die Liebe nur ohnegleichen
Bleibt ewig im Herzen stehn.

Ich schein wohl froher Dinge
Und schaffe auf und ab,
Und, ob das Herz zerspringe,   10
Ich grabe fort und singe
Und grab mir bald mein Grab.«

Wir stießen ans Land, die Herrschaften stiegen alle aus,
viele von den jungen Herren hatten mich, ich bemerkt' es
wohl, während ich sang mit listigen Mienen und Flüstern   15
verspottet vor den Damen. Der Herr mit der Brille faßte
mich im Weggehen bei der Hand und sagte mir, ich weiß
selbst nicht mehr was, die ältere von meinen Damen sah mich
sehr freundlich an. Die schöne Frau hatte während meines
ganzen Liedes die Augen niedergeschlagen und ging nun auch   20
fort und sagte gar nichts. – Mir aber standen die Tränen in
den Augen schon wie ich noch sang, das Herz wollte mir zerspringen von dem Liede vor Scham und vor Schmerz, es fiel
mir jetzt auf einmal alles recht ein, wie *sie* so schön ist und
ich so arm bin und verspottet und verlassen von der Welt –,   25
und als sie alle hinter den Büschen verschwunden waren, da
konnt' ich mich nicht länger halten, ich warf mich in das
Gras hin und weinte bitterlich.

ZWEITES KAPITEL

Dicht am herrschaftlichen Garten ging die Landstraße vorüber, nur durch eine hohe Mauer von derselben geschieden.
Ein gar sauberes Zollhäuschen mit rotem Ziegeldache war da
erbaut und hinter demselben ein kleines buntumzäuntes Blu-
mengärtchen, das durch eine Lücke in der Mauer des Schloß-
gartens hindurch an den schattigsten und verborgensten Teil
des letzteren stieß. Dort war eben der Zolleinnehmer gestorben, der das alles sonst bewohnte. Da kam des einen Morgens frühzeitig, da ich noch im tiefsten Schlafe lag, der
Schreiber vom Schlosse zu mir und rief mich schleunigst zum
Herrn Amtmann. Ich zog mich geschwind an und schlenderte hinter dem luftigen Schreiber her, der unterwegs bald
da bald dort eine Blume abbrach und vorn an den Rock
steckte, bald mit einem Spazierstöckchen künstlich in der Luft
herumfocht und allerlei zu mir in den Wind hineinparlierte,
wovon ich aber nichts verstand, weil mir die Augen und
Ohren noch voller Schlaf lagen. Als ich in die Kanzlei trat,
wo es noch gar nicht recht Tag war, sah der Amtmann hinter einem ungeheuren Dintenfasse und Stößen von Papier
und Büchern und einer ansehnlichen Perücke, wie die Eule
aus ihrem Nest, auf mich und hob an: »Wie heißt Er? Woher ist Er? Kann Er schreiben, lesen und rechnen?« Da ich
das bejahte, versetzte er: »Na, die gnädige Herrschaft hat
Ihm, in Betrachtung Seiner guten Aufführung und beson-
dern Meriten, die ledige Einnehmerstelle zugedacht.« – Ich
überdachte in der Geschwindigkeit für mich meine bisherige
Aufführung und Manieren, und ich mußte gestehen, ich fand
am Ende selber, daß der Amtmann recht hatte. – Und so
war ich denn wirklich Zolleinnehmer, ehe ich mich's versah.

Ich bezog nun sogleich meine neue Wohnung und war in
kurzer Zeit eingerichtet. Ich hatte noch mehrere Gerätschaf-
ten gefunden, die der selige Einnehmer seinem Nachfolger
hinterlassen, unter andern einen prächtigen roten Schlafrock
mit gelben Punkten, grüne Pantoffeln, eine Schlafmütze und

13

einige Pfeifen mit langen Röhren. Das alles hatte ich mir
schon einmal gewünscht, als ich noch zu Hause war, wo ich
immer unsern Pfarrer so kommod herumgehen sah. Den
ganzen Tag (zu tun hatte ich weiter nichts) saß ich daher
auf dem Bänkchen vor meinem Hause in Schlafrock und 5
Schlafmütze, rauchte Tabak aus dem längsten Rohre, das
ich nach dem seligen Einnehmer gefunden hatte, und sah zu,
wie die Leute auf der Landstraße hin- und hergingen, fuhren und ritten. Ich wünschte nur immer, daß auch einmal
ein paar Leute aus meinem Dorfe, die immer sagten, aus mir 10
würde mein Lebtage nichts, hier vorüberkommen und mich
so sehen möchten. – Der Schlafrock stand mir schön zu
Gesichte, und überhaupt das alles behagte mir sehr gut. So
saß ich denn da und dachte mir mancherlei hin und her, wie
aller Anfang schwer ist, wie das vornehmere Leben doch 15
eigentlich recht kommode sei, und faßte heimlich den Ent-
schluß, nunmehr alles Reisen zu lassen, auch Geld zu spa-
ren wie die andern und es mit der Zeit gewiß zu etwas
Großem in der Welt zu bringen. Inzwischen vergaß ich über
meinen Entschlüssen, Sorgen und Geschäften die allerschön- 20
ste Frau keineswegs.

Die Kartoffeln und anderes Gemüse, das ich in meinem
kleinen Gärtchen fand, warf ich hinaus und bebaute es ganz
mit den auserlesensten Blumen, worüber mich der Portier
vom Schlosse mit der großen kurfürstlichen Nase, der, seit- 25
dem ich hier wohnte, oft zu mir kam und mein intimer
Freund geworden war, bedenklich von der Seite ansah und
mich für einen hielt, den sein plötzliches Glück verrückt gemacht hätte. Ich aber ließ mich das nicht anfechten. Denn
nicht weit von mir im herrschaftlichen Garten hörte ich feine 30
Stimmen sprechen, unter denen ich die meiner schönen Frau
zu erkennen meinte, obgleich ich wegen des dichten Gebü-
sches niemand sehen konnte. Da band ich denn alle Tage
einen Strauß von den schönsten Blumen die ich hatte, stieg
jeden Abend, wenn es dunkel wurde, über die Mauer und 35
legte ihn auf einen steinernen Tisch hin, der dort inmitten

14

einer Laube stand; und jeden Abend, wenn ich den neuen
Strauß brachte, war der alte von dem Tische fort.

Eines Abends war die Herrschaft auf die Jagd geritten;
die Sonne ging eben unter und bedeckte das ganze Land mit
Glanz und Schimmer, die Donau schlängelte sich prächtig
wie von lauter Gold und Feuer in die weite Ferne, von
allen Bergen bis tief ins Land hinein sangen und jauchzten
die Winzer. Ich saß mit dem Portier auf dem Bänkchen vor
meinem Hause und freute mich in der lauen Luft und wie
der lustige Tag so langsam vor uns verdunkelte und ver-
hallte. Da ließen sich auf einmal die Hörner der zurückkeh-
renden Jäger von Ferne vernehmen, die von den Bergen
gegenüber einander von Zeit zu Zeit lieblich Antwort gaben.
Ich war recht im innersten Herzen vergnügt und sprang auf
und rief wie bezaubert und verzückt vor Lust: »Nein, das
ist mir doch ein Metier, die edle Jägerei!« Der Portier aber
klopfte sich ruhig die Pfeife aus und sagte: »Das denkt Ihr
Euch just so. Ich habe es auch mitgemacht, man verdient
sich kaum die Sohlen, die man sich abläuft; und Husten
und Schnupfen wird man erst gar nicht los, das kommt von
den ewig nassen Füßen.« – Ich weiß nicht, mich packte da
ein närrischer Zorn, daß ich ordentlich am ganzen Leibe
zitterte. Mir war auf einmal der ganze Kerl mit seinem
langweiligen Mantel, die ewigen Füße, sein Tabaksschnup-
fen, die große Nase und alles abscheulich. – Ich faßte ihn,
wie außer mir, bei der Brust und sagte: »Portier, jetzt schert
Ihr Euch nach Hause, oder ich prügle Euch hier sogleich
durch!« Den Portier überfiel bei diesen Worten seine alte
Meinung, ich wäre verrückt geworden. Er sah mich bedenklich und mit heimlicher Furcht an, machte sich, ohne ein
Wort zu sprechen, von mir los und ging, immer noch unheimlich nach mir zurückblickend, mit langen Schritten nach
dem Schlosse, wo er atemlos aussagte, ich sei nun wirklich
rasend geworden.

Ich aber mußte am Ende laut auflachen und war herzlich
froh, den superklugen Gesellen los zu sein, denn es war

15

grade die Zeit, wo ich den Blumenstrauß immer in die Laube zu legen pflegte. Ich sprang auch heute schnell über die Mauer und ging eben auf das steinerne Tischchen los, als ich in einiger Entfernung Pferdetritte vernahm. Entspringen konnt' ich nicht mehr, denn schon kam meine schöne gnädige Frau selber, in einem grünen Jagdhabit und mit nikkenden Federn auf dem Hute, langsam und wie es schien in tiefen Gedanken die Allee herabgeritten. Es war mir nicht anders zumute, als da ich sonst in den alten Büchern bei meinem Vater von der schönen Magelone gelesen, wie sie so zwischen den immer näher schallenden Waldhornsklängen und wechselnden Abendlichtern unter den hohen Bäumen hervorkam – ich konnte nicht vom Fleck. Sie aber erschrak heftig, als sie mich auf einmal gewahr wurde, und hielt fast unwillkürlich still. Ich war wie betrunken vor Angst, Herzklopfen und großer Freude, und da ich bemerkte, daß sie wirklich meinen Blumenstrauß von gestern an der Brust hatte, konnte ich mich nicht länger halten, sondern sagte ganz verwirrt: »Schönste gnädige Frau, nehmt auch noch diesen Blumenstrauß von mir und alle Blumen aus meinem Garten und alles, was ich habe. Ach könnt' ich nur für Euch ins Feuer springen!« – Sie hatte mich gleich anfangs so ernsthaft und fast böse angeblickt, daß es mir durch Mark und Bein ging, dann aber hielt sie, solange ich redete, die Augen tief niedergeschlagen. Soeben ließen sich einige Reuter und Stimmen im Gebüsch hören. Da ergriff sie schnell den Strauß aus meiner Hand und war bald, ohne ein Wort zu sagen, am andern Ende des Bogenganges verschwunden.

Seit diesem Abend hatte ich weder Ruh' noch Rast mehr. Es war mir beständig zumute wie sonst immer, wenn der Frühling anfangen sollte, so unruhig und fröhlich, ohne daß ich wußte, warum, als stünde mir ein großes Glück oder sonst etwas Außerordentliches bevor. Besonders das fatale Rechnen wollte mir nun erst gar nicht mehr von der Hand, und ich hatte, wenn der Sonnenschein durch den Kastanien-

baum vor dem Fenster grüngolden auf die Ziffern fiel und
so fix vom Transport bis zum Latus und wieder hinauf und
hinab addierte, gar seltsame Gedanken dabei, so daß ich
manchmal ganz verwirrt wurde und wahrhaftig nicht bis
5 drei zählen konnte. Denn die Acht kam mir immer vor wie
meine dicke, enggeschnürte Dame mit dem breiten Kopfputz,
die böse Sieben war gar wie ein ewig rückwärts zeigender
Wegweiser oder Galgen. – Am meisten Spaß machte mir
noch die Neun, die sich mir so oft, eh' ich mich's versah,
10 lustig als Sechs auf den Kopf stellte, während die Zwei wie
ein Fragezeichen so pfiffig dreinsah, als wollte sie mich fragen: Wo soll das am Ende noch hinaus mit dir, du arme
Null? Ohne *sie*, diese schlanke Eins und alles, bleibst du
doch ewig nichts!

15   Auch das Sitzen draußen vor der Tür wollte mir nicht
mehr behagen. Ich nahm mir, um es kommoder zu haben,
einen Schemel mit heraus und streckte die Füße darauf, ich
flickte ein altes Parasol vom Einnehmer und steckte es gegen
die Sonne wie ein chinesisches Lusthaus über mich. Aber es
20 half nichts. Es schien mir, wie ich so saß und rauchte und
spekulierte, als würden mir allmählich die Beine immer länger vor Langerweile und die Nase wüchse mir vom Nichtstun, wenn ich so stundenlang an ihr heruntersah. – Und
wenn denn manchmal noch vor Tagesanbruch eine Extrapost
25 vorbeikam, und ich trat halb verschlafen in die kühle Luft
hinaus, und ein niedliches Gesichtchen, von dem man in der
Dämmerung nur die funkelnden Augen sah, bog sich neugierig zum Wagen hervor und bot mir freundlich einen guten
Morgen, in den Dörfern aber ringsumher krähten die
30 Hähne so frisch über die leisewogenden Kornfelder herüber,
und zwischen den Morgenstreifen hoch am Himmel schweif-
ten schon einzelne zu früh erwachte Lerchen, und der Postillon nahm dann sein Posthorn und fuhr weiter und blies und
blies – da stand ich lange und sah dem Wagen nach, und es
35 war mir nicht anders, als müßt' ich nur sogleich mit fort,
weit, weit in die Welt. –

17

Meine Blumensträuße legte ich indes immer noch, sobald die Sonne unterging, auf den steinernen Tisch in der dunkeln Laube. Aber das war es eben: damit war es nun aus seit jenem Abend. – Kein Mensch kümmerte sich darum: so oft ich des Morgens frühzeitig nachsah, lagen die Blumen noch immer da wie gestern und sahen mich mit ihren verwelkten, niederhängenden Köpfchen und daraufstehenden Tautropfen ordentlich betrübt an, als ob sie weinten. – Das verdroß mich sehr. Ich band gar keinen Strauß mehr. In meinem Garten mochte nun auch das Unkraut treiben wie es wollte, und die Blumen ließ ich ruhig stehn und wachsen, bis der Wind die Blätter verwehte. War mir's doch ebenso wild und bunt und verstört im Herzen.

In diesen kritischen Zeitläuften geschah es denn, daß einmal, als ich eben zu Hause im Fenster liege und verdrüßlich in die leere Luft hinaussehe, die Kammerjungfer vom Schlosse über die Straße dahergetrippelt kommt. Sie lenkte, da sie mich erblickte, schnell zu mir ein und blieb am Fenster stehen. – »Der gnädige Herr ist gestern von seiner Reise zurückgekommen«, sagte sie eilfertig. »So?« entgegnete ich verwundert – denn ich hatte mich schon seit einigen Wochen um nichts bekümmert, und wußte nicht einmal, daß der Herr auf Reisen war –, »da wird seine Tochter, die junge gnädige Frau, auch große Freude gehabt haben.« – Die Kammerjungfer sah mich kurios von oben bis unten an, so daß ich mich ordentlich selber besinnen mußte, ob ich was Dummes gesagt hätte. – »Er weiß aber auch gar nichts«, sagte sie endlich und rümpfte das kleine Näschen. »Nun«, fuhr sie fort, »es soll heute abend dem Herrn zu Ehren Tanz im Schlosse sein und Maskerade. Meine gnädige Frau wird auch maskiert sein, als Gärtnerin – versteht er auch recht – als Gärtnerin. Nun hat die gnädige Frau gesehen, daß er besonders schöne Blumen hat in seinem Garten.« – Das ist seltsam, dachte ich bei mir selbst, man sieht doch jetzt fast keine Blumen mehr vor Unkraut. – Sie aber fuhr fort: »Da nun die gnädige Frau schöne Blumen zu ihrem Anzuge

18

braucht, aber ganz frische, die eben vom Beete kommen, so
soll Er ihr welche bringen und heute abend, wenn's dunkel
geworden ist, damit unter dem großen Birnbaum im Schloßgarten warten, da wird sie dann kommen und die Blumen
5 abholen.«

Ich war ganz verblüfft vor Freude über diese Nachricht
und lief in meiner Entzückung vom Fenster zu der Kammerjungfer hinaus. –

»Pfui, der garstige Schlafrock!« rief diese aus, da sie mich
10 auf einmal so in meinem Aufzuge im Freien sah. Das ärgerte
mich, ich wollte auch nicht dahinter bleiben in der Galanterie, und machte einige artige Kapriolen, um sie zu erhaschen
und zu küssen. Aber unglücklicherweise verwickelte sich mir
dabei der Schlafrock, der mir viel zu lang war, unter den
15 Füßen, und ich fiel der Länge nach auf die Erde. Als ich
mich wieder zusammenraffte, war die Kammerjungfer schon
weit fort, und ich hörte sie noch von Ferne lachen, daß sie
sich die Seiten halten mußte.

Nun aber hatt' ich was zu sinnen und mich zu freuen.
20 *Sie* dachte ja noch immer an mich und meine Blumen! Ich
ging in mein Gärtchen und riß hastig alles Unkraut von den
Beeten und warf es hoch über meinen Kopf weg in die
schimmernde Luft, als zög' ich alle Übel und Melancholie
mit der Wurzel heraus. Die Rosen waren nun wieder wie
25 *ihr* Mund, die himmelblauen Winden wie ihre Augen, die
schneeweiße Lilie mit ihrem schwermütig gesenkten Köpfchen sah ganz aus wie *sie*. Ich legte alle sorgfältig in einem
Körbchen zusammen. Es war ein stiller, schöner Abend und
kein Wölkchen am Himmel. Einzelne Sterne traten schon
30 am Firmamente hervor, von weitem rauschte die Donau
über die Felder herüber, in den hohen Bäumen im herrschaftlichen Garten neben mir sangen unzählige Vögel lustig
durcheinander. Ach, ich war so glücklich!

Als endlich die Nacht hereinbrach, nahm ich mein Körb-
35 chen an den Arm und machte mich auf den Weg nach dem
großen Garten. In dem Körbchen lag alles so bunt und an-

19

mutig durcheinander, weiß, rot, blau und duftig, daß mir ordentlich das Herz lachte, wenn ich hineinsah.

Ich ging voller fröhlicher Gedanken bei dem schönen Mondschein durch die stillen, reinlich mit Sand bestreuten Gänge über die kleinen weißen Brücken, unter denen die Schwäne eingeschlafen auf dem Wasser saßen, an den zierlichen Lauben und Lusthäusern vorüber. Den großen Birnbaum hatte ich gar bald aufgefunden, denn es war derselbe, unter dem ich sonst, als ich noch Gärtnerbursche war, an schwülen Nachmittagen gelegen.

Hier war es so einsam dunkel. Nur eine hohe Espe zitterte und flüsterte mit ihren silbernen Blättern in einem fort. Vom Schlosse schallte manchmal die Tanzmusik herüber. Auch Menschenstimmen hörte ich zuweilen im Garten, die kamen oft ganz nahe an mich heran, dann wurde es auf einmal wieder ganz still.

Mir klopfte das Herz. Es war mir schauerlich und seltsam zumute, als wenn ich jemanden bestehlen wollte. Ich stand lange Zeit stockstill an den Baum gelehnt und lauschte nach allen Seiten, da aber immer niemand kam, konnt' ich es nicht länger aushalten. Ich hing mein Körbchen an den Arm und kletterte schnell auf den Birnbaum hinauf, um wieder im Freien Luft zu schöpfen.

Da droben schallte mir die Tanzmusik erst recht über die Wipfel entgegen. Ich übersah den ganzen Garten und grade in die hellerleuchteten Fenster des Schlosses hinein. Dort drehten sich die Kronleuchter langsam wie Kränze von Sternen, unzählige geputzte Herren und Damen, wie in einem Schattenspiele, wogten und walzten und wirrten da bunt und unkenntlich durcheinander, manchmal legten sich welche ins Fenster und sahen hinunter in den Garten. Draußen vor dem Schlosse aber waren der Rasen, die Sträucher und die Bäume von den vielen Lichtern aus dem Saale wie vergoldet, so daß ordentlich die Blumen und die Vögel aufzuwachen schienen. Weiterhin um mich herum und hinter mir lag der Garten so schwarz und still.

Da tanzt *sie* nun, dacht' ich in dem Baume droben bei mir selber, und hat gewiß lange wieder dich und deine Blumen vergessen. Alles ist so fröhlich, um dich kümmert sich kein Mensch. – Und so geht es mir überall und immer. Jeder hat
5 sein Plätzchen auf der Erde ausgesteckt, hat seinen warmen Ofen, seine Tasse Kaffee, seine Frau, sein Glas Wein zu Abend und ist so recht zufrieden; selbst dem Portier ist ganz wohl in seiner langen Haut. – Mir ist's nirgends recht. Es ist, als wäre ich überall eben so spät gekommen, als hätte die
10 ganze Welt gar nicht auf mich gerechnet. –

Wie ich eben so philosophiere, höre ich auf einmal unten im Grase etwas einherrascheln. Zwei feine Stimmen sprachen ganz nahe und leise miteinander. Bald darauf bogen sich die Zweige in dem Gesträuch auseinander, und die Kammer-
15 jungfer steckte ihr kleines Gesichtchen, sich nach allen Seiten umsehend, zwischen der Laube hindurch. Der Mondschein funkelte recht auf ihren pfiffigen Augen, wie sie hervor-guckten. Ich hielt den Atem an mich und blickte unverwandt hinunter. Es dauerte auch nicht lange, so trat wirklich die
20 Gärtnerin, ganz so wie mir sie die Kammerjungfer gestern beschrieben hatte, zwischen den Bäumen heraus. Mein Herz klopfte mir zum zerspringen. Sie aber hatte eine Larve vor und sah sich, wie mir schien, verwundert auf dem Platze um. – Da wollt's mir vorkommen, als wäre sie gar nicht
25 recht schlank und niedlich. – Endlich trat sie ganz nahe an den Baum und nahm die Larve ab. – Es war wahrhaftig die andere, ältere gnädige Frau!

Wie froh war ich nun, als ich mich vom ersten Schreck er-holt hatte, daß ich mich hier oben in Sicherheit befand. Wie
30 in aller Welt, dachte ich, kommt *die* nur jetzt hierher? Wenn nun die liebe, schöne gnädige Frau die Blumen abholt –, das wird eine schöne Geschichte werden! Ich hätte am Ende wei-nen mögen vor Ärger über den ganzen Spektakel.

Indem hub die verkappte Gärtnerin unten an: »Es ist so
35 stickend heiß droben im Saale, ich mußte mich ein wenig ab-kühlen gehen in der freien schönen Natur.« Dabei fächelte

21

sie sich mit der Larve in einem fort und blies die Luft von
sich. Bei dem hellen Mondschein konnt' ich deutlich erkennen, wie ihr die Flechsen am Halse ordentlich aufgeschwol-
len waren; sie sah ganz erbost aus und ziegelrot im Gesicht.
Die Kammerjungfer suchte unterdes hinter allen Hecken   5
herum, als hätte sie eine Stecknadel verloren. –

»Ich brauche so notwendig noch frische Blumen zu meiner Maske«, fuhr die Gärtnerin von neuem fort, »wo er
auch stecken mag!« – Die Kammerjungfer suchte und
kicherte dabei immerfort heimlich in sich selbst hinein. –   10
»Sagtest du was, Rosette?« fragte die Gärtnerin spitzig. –
»Ich sage, was ich immer gesagt habe«, erwiderte die Kammerjungfer und machte ein ganz ernsthaftes, treuherziges
Gesicht, »der ganze Einnehmer ist und bleibt ein Lümmel,
er liegt gewiß irgendwo hinter einem Strauche und schläft.«   15

Mir zuckte es in allen meinen Gliedern, herunterzusprin-
gen und meine Reputation zu retten – da hörte man auf
einmal ein großes Pauken und Musizieren und Lärmen vom
Schlosse her.

Nun hielt sich die Gärtnerin nicht länger. »Da bringen   20
die Menschen«, fuhr sie verdrüßlich auf, »dem Herrn das
Vivat. Komm, man wird uns vermissen!« – Und hiermit
steckte sie die Larve schnell vor und ging wütend mit der
Kammerjungfer nach dem Schlosse zu fort. Die Bäume und
Sträucher wiesen kurios, wie mit langen Nasen und Fin-   25
gern, hinter ihr drein, der Mondschein tanzte noch fix, wie
über eine Klaviatur, über ihre breite Taille auf und nieder,
und so nahm sie, so recht wie ich auf dem Theater manchmal
die Sängerinnen gesehn, unter Trompeten und Pauken schnell
ihren Abzug.   30

Ich aber wußte in meinem Baume droben eigentlich gar
nicht recht, wie mir geschehen, und richtete nunmehr meine
Augen unverwandt auf das Schloß hin; denn ein Kreis
hoher Windlichter unten an den Stufen des Einganges warf
dort einen seltsamen Schein über die blitzenden Fenster und   35
weit in den Garten hinein. Es war die Dienerschaft, die so-

22

eben ihrer jungen Herrschaft ein Ständchen brachte. Mitten
unter ihnen stand der prächtig aufgeputzte Portier, wie ein
Staatsminister, vor einem Notenpulte und arbeitete sich
emsig an einem Fagott ab.

Wie ich mich so eben zurechtsetzte, um der schönen Serenade zuzuhören, gingen auf einmal oben auf dem Balkon
des Schlosses die Flügeltüren auf. Ein hoher Herr, schön und
stattlich in Uniform und mit vielen funkelnden Sternen, trat
auf den Balkon heraus und an seiner Hand – die schöne
junge gnädige Frau, in ganz weißem Kleide, wie eine Lilie
in der Nacht, oder wie wenn der Mond über das klare Firmament zöge.

Ich konnte keinen Blick von dem Platze verwenden, und
Garten, Bäume und Felder gingen unter vor meinen Sinnen,
wie sie so wundersam beleuchtet von den Fackeln hoch und
schlank dastand und bald anmutig mit dem schönen Offizier
sprach, bald wieder freundlich zu den Musikanten herunter-
nickte. Die Leute unten waren außer sich vor Freude, und
ich hielt mich am Ende auch nicht mehr und schrie immer
aus Leibeskräften Vivat mit. –

Als sie aber bald darauf wieder von dem Balkon verschwand, unten eine Fackel nach der andern verlöschte und
die Notenpulte weggeräumt wurden und nun der Garten
rings umher auch wieder finster wurde und rauschte wie
vorher – da merkt' ich erst alles – da fiel es mir auf einmal aufs Herz, daß mich wohl eigentlich nur die Tante mit
den Blumen bestellt hatte, daß die Schöne gar nicht an mich
dachte und lange verheiratet ist und daß ich selber ein großer Narr war.

Alles das versenkte mich recht in einen Abgrund von
Nachsinnen. Ich wickelte mich, gleich einem Igel, in die Sta-
cheln meiner eignen Gedanken zusammen; vom Schlosse
schallte die Tanzmusik nur noch seltner herüber, die Wolken
wanderten einsam über den dunkeln Garten weg. Und so
saß ich auf dem Baume droben, wie die Nachteule, in den
Ruinen meines Glücks die ganze Nacht hindurch.

23

Die kühle Morgenluft weckte mich endlich aus meinen Träumereien. Ich erstaunte ordentlich, wie ich so auf einmal um mich her blickte. Musik und Tanz war lange vorbei, im Schlosse und rings um das Schloß herum auf dem Rasenplatze und den steinernen Stufen und Säulen sah alles so still, kühl und feierlich aus; nur der Springbrunnen vor dem Eingange plätscherte einsam in einem fort. Hin und her in den Zweigen neben mir erwachten schon die Vögel, schüttelten ihre bunten Federn und sahen, die kleinen Flügel dehnend, neugierig und verwundert ihren seltsamen Schlafkameraden an. Fröhlich schweifende Morgenstrahlen funkelten über den Garten weg auf meine Brust.

Da richtete ich mich in meinem Baume auf und sah seit langer Zeit zum ersten Male wieder einmal so recht weit in das Land hinaus, wie da schon einzelne Schiffe auf der Donau zwischen den Weinbergen herabfuhren und die noch leeren Landstraßen wie Brücken über das schimmernde Land sich fern über die Berge und Täler hinausschwangen.

Ich weiß nicht, wie es kam – aber mich packte da auf einmal wieder meine ehemalige Reiselust: alle die alte Wehmut und Freude und große Erwartung. Mir fiel dabei zugleich ein, wie nun die schöne Frau droben auf dem Schlosse zwischen Blumen und unter seidnen Decken schlummerte und ein Engel bei ihr auf dem Bette säße in der Morgenstille. – »Nein«, rief ich aus, »fort muß ich von hier und immer fort, so weit, als der Himmel blau ist!«

Und hiermit nahm ich mein Körbchen und warf es hoch in die Luft, so daß es recht lieblich anzusehen war, wie die Blumen zwischen den Zweigen und auf dem grünen Rasen unten bunt umherlagen. Dann stieg ich selber schnell herunter und ging durch den stillen Garten auf meine Wohnung zu. Gar oft blieb ich da noch stehen auf manchem Plätzchen, wo ich sie sonst wohl einmal gesehen, oder im Schatten liegend an *sie* gedacht hatte.

In und um mein Häuschen sah alles noch so aus, wie ich es gestern verlassen hatte. Das Gärtchen war geplündert und

24

wüst, im Zimmer drin lag noch das große Rechnungsbuch
aufgeschlagen, meine Geige, die ich schon fast ganz vergessen hatte, hing verstaubt an der Wand. Ein Morgenstrahl
aber, aus dem gegenüberstehenden Fenster, fuhr grade blit-
5 zend über die Saiten. Das gab einen rechten Klang in meinem Herzen. Ja, sagt' ich, komm nur her, du getreues Instrument! Unser Reich ist nicht von dieser Welt! –

Und so nahm ich die Geige von der Wand, ließ Rechnungsbuch, Schlafrock, Pantoffeln, Pfeifen und Parasol lie-
10 gen und wanderte, arm wie ich gekommen war, aus meinem
Häuschen und auf der glänzenden Landstraße von dannen.

Ich blickte noch oft zurück; mir war gar seltsam zumute,
so traurig und doch auch wieder so überaus fröhlich, wie ein
Vogel, der aus seinem Käfig ausreißt. Und als ich schon eine
15 weite Strecke gegangen war, nahm ich draußen im Freien
meine Geige vor und sang:

>Den lieben Gott laß ich nur walten;
Der Bächlein, Lerchen, Wald und Feld
Und Erd' und Himmel tut erhalten,
20 Hat auch mein' Sach' aufs best' bestellt!«

Das Schloß, der Garten und die Türme von Wien waren
schon hinter mir im Morgenduft versunken, über mir jubi-
lierten unzählige Lerchen hoch in der Luft; so zog ich zwischen den grünen Bergen und an lustigen Städten und Dör-
25 fern vorbei gen Italien hinunter.

DRITTES KAPITEL

Aber das war nun schlimm! Ich hatte noch gar nicht daran
gedacht, daß ich eigentlich den rechten Weg nicht wußte.
Auch war rings umher kein Mensch zu sehen in der stillen
30 Morgenstunde, den ich hätte fragen können, und nicht weit

von mir teilte sich die Landstraße in viele neue Landstraßen, die gingen weit, weit über die höchsten Berge fort, als führten sie aus der Welt hinaus, so daß mir ordentlich schwindelte, wenn ich recht hinsah.

Endlich kam ein Bauer des Weges daher, der, glaub ich, nach der Kirche ging, da es heut eben Sonntag war, in einem altmodischen Überrocke mit großen silbernen Knöpfen und einem langen spanischen Rohr mit einem sehr massiven silbernen Stockknopf darauf, der schon von weiten in der Sonne funkelte. Ich frug ihn sogleich mit vieler Höflichkeit: »Können Sie mir nicht sagen, wo der Weg nach Italien geht?« – »Der Bauer blieb stehen, sah mich an, besann sich dann mit weit vorgeschobner Unterlippe und sah mich wieder an. Ich sagte noch einmal: »Nach Italien, wo die Pomeranzen wachsen.« – »Ach, was gehn mich seine Pomeranzen an!« sagte der Bauer da und schritt wacker wieder weiter. Ich hätte dem Manne mehr Konduite zugetraut, denn er sah recht stattlich aus.

Was war nun zu machen? Wieder umkehren und in mein Dorf zurückgehn? Da hätten die Leute mit den Fingern auf mich gewiesen, und die Jungen wären um mich herumgesprungen: Ei, tausend willkommen aus der Welt! Wie sieht es denn aus in der Welt? Hat er uns nicht Pfefferkuchen mitgebracht aus der Welt? – Der Portier mit der kurfürstlichen Nase, welcher überhaupt viele Kenntnisse von der Weltgeschichte hatte, sagte oft zu mir: »Wertgeschätzter Herr Einnehmer! Italien ist ein schönes Land, da sorgt der liebe Gott für alles, da kann man sich im Sonnenschein auf den Rücken legen, so wachsen einem die Rosinen ins Maul, und wenn einen die Tarantel beißt, so tanzt man mit ungemeiner Gelenkigkeit, wenn man auch sonst nicht tanzen gelernt hat.« – »Nein, nach Italien, nach Italien!« rief ich voller Vergnügen aus und rannte, ohne an die verschiedenen Wege zu denken, auf der Straße fort, die mir eben vor die Füße kam.

Als ich eine Strecke so fortgewandert war, sah ich rechts

von der Straße einen sehr schönen Baumgarten, wo die Morgensonne so lustig zwischen den Stämmen und Wipfeln hindurchschimmerte, daß es aussah, als wäre der Rasen mit goldenen Teppichen belegt. Da ich keinen Menschen erblickte, stieg ich über den niedrigen Gartenzaun und legte mich recht behaglich unter einem Apfelbaum ins Gras, denn von dem gestrigen Nachtlager auf dem Baume taten mir noch alle Glieder weh. Da konnte man weit ins Land hinaussehen, und da es Sonntag war, so kamen bis aus der weitesten Ferne Glockenklänge über die stillen Felder herüber, und geputzte Landleute zogen überall zwischen Wiesen und Büschen nach der Kirche. Ich war recht fröhlich im Herzen, die Vögel sangen über mir im Baume, ich dachte an meine Mühle und an den Garten der schönen gnädigen Frau, und wie das alles nun so weit, weit lag – bis ich zuletzt einschlummerte. Da träumte mir, als käme die schöne Fraue aus der prächtigen Gegend unten zu mir gegangen oder eigentlich langsam geflogen zwischen den Glockenklängen, mit langen weißen Schleiern, die im Morgenrote wehten. Dann war es wieder, als wären wir gar nicht in der Fremde, sondern bei meinem Dorfe an der Mühle in den tiefen Schatten. Aber da war alles still und leer, wie wenn die Leute Sonntag in der Kirche sind und nur der Orgelklang durch die Bäume herüberkommt, daß es mir recht im Herzen weh tat. Die schöne Frau aber war sehr gut und freundlich, sie hielt mich an der Hand und ging mit mir und sang in einem fort in dieser Einsamkeit das schöne Lied, das sie damals immer frühmorgens am offenen Fenster zur Gitarre gesungen hat, und ich sah dabei ihr Bild in dem stillen Weiher, noch viel tausendmal schöner, aber mit sonderbaren großen Augen, die mich so starr ansahen, daß ich mich beinah gefürchtet hätte. – Da fing auf einmal die Mühle, erst in einzelnen langsamen Schlägen, dann immer schneller und heftiger an zu gehen und zu brausen, der Weiher wurde dunkel und kräuselte sich, die schöne Fraue wurde ganz bleich, und ihre Schleier wurden immer länger und länger und flat-

terten entsetzlich in langen Spitzen, wie Nebelstreifen, hoch
am Himmel empor; das Sausen nahm immer mehr zu, oft
war es, als bliese der Portier auf seinem Fagott dazwischen,
bis ich endlich mit heftigem Herzklopfen aufwachte.

Es hatte sich wirklich ein Wind erhoben, der leise über 5
mir durch den Apfelbaum ging; aber was so brauste und ru-
morte, war weder die Mühle noch der Portier, sondern derselbe Bauer, der mir vorhin den Weg nach Italien nicht zei-
gen wollte. Er hatte aber seinen Sonntagsstaat ausgezogen
und stand in einem weißen Kamisol vor mir. »Na«, sagte 10
er, da ich mir noch den Schlaf aus den Augen wischte, »will
Er etwa hier Poperenzen klauben, daß er mir das schöne
Gras so zertrampelt, anstatt in die Kirche zu gehen, Er Faulenzer!« – Mich ärgert' es nur, daß mich der Grobian
aufgeweckt hatte. Ich sprang ganz erbost auf und versetzte 15
geschwind: »Was, Er will mich hier ausschimpfen? Ich bin
Gärtner gewesen, eh' Er daran dachte, und Einnehmer, und
wenn er zur Stadt gefahren wäre, hätte Er die schmierige
Schlafmütze vor mir abnehmen müssen, und hatte mein
Haus und meinen roten Schlafrock mit gelben Punkten.« – 20
Aber der Knollfink scherte sich gar nichts darum, sondern
stemmte beide Arme in die Seiten und sagte bloß: »Was will
Er denn? he! he!« Dabei sah ich, daß es eigentlich ein kurzer, stämmiger, krummbeiniger Kerl war und vorstehende,
glotzende Augen und eine rote, etwas schiefe Nase hatte. 25
Und wie er immer fort nichts weiter sagte als »he! – he!«
– und dabei jedesmal einen Schritt näher auf mich zukam,
da überfiel mich auf einmal eine so kuriose, grausliche
Angst, daß ich mich schnell aufmachte, über den Zaun 30
sprang und, ohne mich umzusehen, immerfort querfeldein
lief, daß mir die Geige in der Tasche klang.

Als ich endlich wieder still hielt, um Atem zu schöpfen,
war der Garten und das ganze Tal nicht mehr zu sehen, und
ich stand in einem schönen Walde. Aber ich gab nicht viel 35
darauf acht, denn jetzt ärgerte mich das Spektakel erst recht,

und daß der Kerl mich immer Er nannte, und ich schimpfte
noch lange im stillen für mich. In solchen Gedanken ging ich
rasch fort und kam immer mehr von der Landstraße ab,
mitten in das Gebirge hinein. Der Holzweg, auf dem ich
5 fortgelaufen war, hörte auf, und ich hatte nur noch einen
kleinen, wenig betretenen Fußsteig vor mir. Ringsum war
niemand zu sehen und kein Laut zu vernehmen. Sonst aber
war es recht anmutig zu gehn, die Wipfel der Bäume rauschten, und die Vögel sangen sehr schön. Ich befahl mich daher
10 Gottes Führung, zog meine Violine hervor und spielte alle
meine liebsten Stücke durch, daß es recht fröhlich in dem
einsamen Walde erklang.

Mit dem Spielen ging es aber auch nicht lange, denn ich
stolperte dabei jeden Augenblick über die fatalen Baumwur-
15 zeln, auch fing mich zuletzt an zu hungern, und der Wald
wollte noch immer gar kein Ende nehmen. So irrte ich den
ganzen Tag herum, und die Sonne schien schon schief zwischen den Baumstämmen hindurch, als ich endlich in ein kleines Wiesental hinauskam, das rings von Bergen eingeschlos-
20 sen und voller roter und gelber Blumen war, über denen unzählige Schmetterlinge im Abendgolde herumflatterten. Hier
war es so einsam, als läge die Welt wohl hundert Meilen
weit weg. Nur die Heimchen zirpten, und ein Hirt lag drüben im hohen Grase und blies so melancholisch auf seiner
25 Schalmei, daß einem das Herz vor Wehmut hätte zerspringen mögen. Ja, dachte ich bei mir, wer es so gut hätte, wie
so ein Faulenzer! Unser einer muß sich in der Fremde her-
umschlagen und immer attent sein. – Da ein schönes klares
Flüßchen zwischen uns lag, über das ich nicht herüberkonnte,
30 so rief ich ihm von weiten zu: wo hier das nächste Dorf
läge? Er ließ sich aber nicht stören, sondern streckte nur den
Kopf ein wenig aus dem Grase hervor, wies mit seiner
Schalmei auf den andern Wald hin und blies ruhig wieder
weiter.

35 Unterdes marschierte ich fleißig fort, denn es fing schon
an zu dämmern. Die Vögel, die alle noch ein großes Ge-

schrei gemacht hatten, als die letzten Sonnenstrahlen durch
den Wald schimmerten, wurden auf einmal still, und mir
fing beinah an angst zu werden in dem ewigen einsamen
Rauschen der Wälder. Endlich hörte ich von ferne Hunde
bellen. Ich schritt rascher fort, der Wald wurde immer lich- 5
ter und lichter, und bald darauf sah ich zwischen den letzten Bäumen hindurch einen schönen grünen Platz, auf dem
viele Kinder lärmten, und sich um eine große Linde herum-
tummelten, die recht in der Mitte stand. Weiterhin an dem
Platze war ein Wirtshaus, vor dem einige Bauern um einen 10
Tisch saßen und Karten spielten und Tabak rauchten. Von
der andern Seite saßen junge Bursche und Mädchen vor der
Tür, die die Arme in ihre Schürzen gewickelt hatten und in
der Kühle miteinander plauderten.

Ich besann mich nicht lange, zog meine Geige aus der Ta- 15
sche und spielte schnell einen lustigen Ländler auf, während
ich aus dem Walde hervortrat. Die Mädchen verwunderten
sich, die Alten lachten, daß es weit in den Wald hinein-
schallte. Als ich aber so bis zu der Linde gekommen war und
mich mit dem Rücken dran lehnte und immer fortspielte, 20
da ging ein heimliches Rumoren und Gewisper unter den
jungen Leuten rechts und links, die Bursche legten endlich
ihre Sonntagspfeifen weg, jeder nahm die Seine, und eh'
ich's mich versah, schwenkte sich das junge Bauernvolk 25
tüchtig um mich herum, die Hunde bellten, die Kittel flogen, und die Kinder standen um mich im Kreise und sahen
mir neugierig ins Gesicht und auf die Finger, wie ich so fix
damit hantierte.

Wie der erste Schleifer vorbei war, konnte ich erst recht 30
sehen, wie eine gute Musik in die Gliedmaßen fährt. Die
Bauerburschen, die sich vorher, die Pfeifen im Munde, auf
den Bänken reckten und die steifen Beine von sich streckten,
waren nun auf einmal wie umgetauscht, ließen ihre bunten
Schnupftücher vorn am Knopfloch lang herunterhängen und 35
kapriolten so artig um die Mädchen herum, daß es eine

30

rechte Lust anzuschauen war. Einer von ihnen, der sich schon
für was Rechtes hielt, haspelte lange in seiner Westentasche,
damit es die andern sehen sollten, und brachte endlich ein
kleines Silberstück heraus, das er mir in die Hand drücken
5 wollte. Mich ärgerte das, wenn ich gleich dazumal kein Geld
in der Tasche hatte. Ich sagte ihm, er sollte nur seine Pfen-
nige behalten, ich spielte nur so aus Freude, weil ich wieder
bei Menschen wäre. Bald darauf aber kam ein schmuckes
Mädchen mit einer großen Stampe Wein zu mir. »Musikan-
10 ten trinken gern«, sagte sie und lachte mich freundlich an,
und ihre perlweißen Zähne schimmerten recht charmant zwischen den roten Lippen hindurch, so daß ich sie wohl hätte
darauf küssen mögen. Sie tunkte ihr Schnäbelchen in den
Wein, wobei ihre Augen über das Glas weg auf mich her-
15 überfunkelten, und reichte mir darauf die Stampe hin. Da
trank ich das Glas bis auf den Grund aus und spielte dann
wieder von frischem, daß sich alles lustig um mich herum-
drehte.

Die Alten waren unterdes von ihrem Spiel aufgebrochen,
20 die jungen Leute fingen auch an müde zu werden und zerstreuten sich, und so wurde es nach und nach ganz still und
leer vor dem Wirtshause. Auch das Mädchen, das mir den
Wein gereicht hatte, ging nun nach dem Dorfe zu, aber sie
ging sehr langsam und sah sich zuweilen um, als ob sie was
25 vergessen hätte. Endlich blieb sie stehen und suchte etwas
auf der Erde, aber ich sah wohl, daß sie, wenn sie sich
bückte, unter dem Arme hindurch nach mir zurückblickte.
Ich hatte auf dem Schlosse Lebensart gelernt, ich sprang also
geschwind herzu und sagte: »Haben Sie etwas verloren,
30 schönste Mamsell?« – »Ach nein«, sagte sie und wurde
über und über rot, »es war nur eine Rose – will Er sie
haben?« – Ich dankte und steckte die Rose ins Knopfloch.
Sie sah mich sehr freundlich an und sagte: »Er spielt recht
schön.« – »Ja«, versetzte ich, »das ist so eine Gabe Gottes.«
35 – »Die Musikanten sind hier in der Gegend sehr rar«, hub
das Mädchen dann wieder an und stockte und hatte die

Augen beständig niedergeschlagen. »Er könnte sich hier ein gutes Stück Geld verdienen – auch mein Vater spielt etwas die Geige und hört gern von der Fremde erzählen und mein Vater ist sehr reich.« – Dann lachte sie auf und sagte: »Wenn Er nur nicht immer solche Grimassen machen möchte, mit dem Kopfe, beim Geigen!« – »Teuerste Jungfer«, erwiderte ich, »erstlich: nennen Sie mich nur nicht immer Er; sodann mit dem Kopftremulenzen, das ist einmal nicht anders, das haben wir Virtuosen alle so an uns.« – »Ach so!« entgegnete das Mädchen. Sie wollte noch etwas mehr sagen, aber da entstand auf einmal ein entsetzliches Gepolter im Wirtshause, die Haustüre ging mit großem Gekrache auf, und ein dünner Kerl kam wie ein ausgeschoßner Ladstock herausgeflogen, worauf die Tür sogleich wieder hinter ihm zugeschlagen wurde.

Das Mädchen war bei dem ersten Geräusch wie ein Reh davongesprungen und im Dunkel verschwunden. Die Figur vor der Tür aber raffte sich hurtig wieder vom Boden auf und fing nun an, mit solcher Geschwindigkeit gegen das Haus loszuschimpfen, daß es ordentlich zum Erstaunen war. »Was!« schrie er, »ich besoffen? ich die Kreidestriche an der verräucherten Tür nicht bezahlen? Löscht sie aus, löscht sie aus! Hab ich euch nicht erst gestern übern Kochlöffel balbiert und in die Nase geschnitten, daß ihr mir den Löffel morsch entzweigebissen habt? Balbieren macht einen Strich – Kochlöffel, wieder ein Strich – Pflaster auf die Nase, noch ein Strich – wieviel solche hundsföttische Striche wollt ihr denn noch bezahlt haben? Aber gut, schon gut! ich lasse das ganze Dorf, die ganze Welt ungeschoren. Lauft meinetwegen mit euren Bärten, daß der liebe Gott am jüngsten Tage nicht weiß, ob ihr Juden seid oder Christen! Ja, hängt euch an euren eignen Bärten auf, ihr zottigen Landbären!« Hier brach er auf einmal in ein jämmerliches Weinen aus und fuhr ganz erbärmlich durch die Fistel fort: »Wasser soll ich saufen, wie ein elender Fisch? ist das Nächstenliebe? Bin ich nicht ein Mensch und ein ausgelernter Feldscher? Ach, ich bin heute so in der Rage! Mein Herz ist voller Rührung und Menschenliebe!« Bei diesen Worten zog er sich nach und nach zurück, da im Hause alles still blieb. Als er mich erblickte, kam er mit ausgebreiteten Armen auf mich los, ich glaube, der tolle Kerl wollte mich embrassieren. Ich sprang aber auf die Seite, und so stolperte er weiter, und ich hörte ihn noch lange, bald grob bald fein, durch die Finsternis mit sich diskurrieren.

Mir aber ging mancherlei im Kopfe herum. Die Jungfer, die mir vorhin die Rose geschenkt hatte, war jung, schön und reich – ich konnte da mein Glück machen, eh' man die Hand umkehrte. Und Hammel und Schweine, Puter und fette Gänse mit Äpfeln gestopft – ja, es war mir nicht anders, als säh' ich den Portier auf mich zukommen: »Greif zu, Einnehmer, greif zu! jung gefreit hat niemand gereut, wers Glück hat, führt die Braut heim, bleibe im Lande und nähre dich tüchtig.« In solchen philosophischen Gedanken setzte ich mich auf dem Platze, der nun ganz einsam war, auf einen Stein nieder, denn an das Wirtshaus anzuklopfen traute ich mich nicht, weil ich kein Geld bei mir hatte. Der Mond schien prächtig, von den Bergen rauschten die Wälder durch die stille Nacht herüber, manchmal schlugen im Dorfe die Hunde an, das weiter im Tale unter Bäumen und Mondschein wie begraben lag. Ich betrachtete das Firmament, wie da einzelne Wolken langsam durch den Mondschein zogen und manchmal ein Stern weit in der Ferne herunterfiel. So, dachte ich, scheint der Mond auch über meines Vaters Mühle und auf das weiße gräfliche Schloß. Dort ist nun auch schon alles lange still, die gnädige Frau schläft, und die Wasserkünste und Bäume im Garten rauschen noch immer fort wie damals, und allen ist's gleich, ob ich noch da bin oder in der Fremde oder gestorben. – Da kam mir die Welt auf einmal so entsetzlich weit und groß vor und ich so ganz allein darin, daß ich aus Herzensgrunde hätte weinen mögen.

Wie ich noch immer so dasitze, höre ich auf einmal aus der Ferne Hufschlag im Walde. Ich hielt den Atem an und lauschte, da kam es immer näher und näher, und ich konnte schon die Pferde schnauben hören. Bald darauf kamen auch wirklich zwei Reiter unter den Bäumen hervor, hielten aber am Saume des Waldes an und sprachen heimlich sehr eifrig miteinander, wie ich an den Schatten sehen konnte, die plötzlich über den mondbeglänzten Platz vorschossen und mit langen, dunklen Armen bald dahin, bald dorthin wiesen. – Wie oft, wenn mir zu Hause meine verstorbene Mutter von wilden Wäldern und martialischen Räubern erzählte, hatte ich mir sonst immer heimlich gewünscht, eine solche Geschichte selbst zu erleben. Da hatt' ich's nun auf einmal für meine dummen, frevelmütigen Gedanken! – Ich streckte mich nun an dem Lindenbaum, unter dem ich gesessen, ganz unmerklich so lang aus, als ich nur konnte, bis ich den ersten Ast erreicht hatte und mich geschwinde hinaufschwang. Aber ich baumelte noch mit halbem Leibe über dem Aste und wollte soeben auch meine Beine nachholen, als der eine von den Reitern rasch hinter mir über den Platz daher trabte. Ich drückte nun die Augen fest zu in dem dunkeln Laube und rührte und regte mich nicht. – »Wer ist da?« rief es auf einmal dicht hinter mir. »Niemand!« schrie ich aus Leibeskräften vor Schreck, daß er mich doch noch erwischt hatte. Insgeheim mußte ich aber doch bei mir lachen, wie die Kerls sich schneiden würden, wenn sie mir die leeren Taschen umdrehten. – »Ei, ei«, sagte der Räuber wieder, »wem gehören denn aber die zwei Beine, die da herunterhängen?« – Da half nichts mehr. »Nichts weiter«, versetzte ich, »als ein paar arme, verirrte Musikantenbeine«, und ließ mich rasch wieder auf den Boden herab, denn ich schämte mich auch, länger wie eine zerbrochene Gabel da über dem Aste zu hängen.

Das Pferd des Reiters scheute, als ich so plötzlich vom Baume herunterfuhr. Er klopfte ihm den Hals und sagte lachend: »Nun wir sind auch verirrt, da sind wir rechte Kameraden; ich dächte also, du hälfest uns ein wenig den Weg nach B. aufsuchen. Es soll dein Schade nicht sein.« Ich

hatte nun gut beteuern, daß ich gar nicht wüßte, wo B. läge,
daß ich lieber hier im Wirtshause fragen oder sie in das Dorf
hinunterführen wollte. Der Kerl nahm gar keine Räson an.
Er zog ganz ruhig eine Pistole aus dem Gurt, die recht
hübsch im Mondschein funkelte. »Mein Liebster«, sagte er
dabei sehr freundschaftlich zu mir, während er bald den
Lauf der Pistole abwischte, bald wieder prüfend an die
Augen hielt, »mein Liebster, du wirst wohl so gut sein, selber nach B. vorauszugehn.«

Da war ich nun recht übel daran. Traf ich den Weg, so
kam ich gewiß zu der Räuberbande und bekam Prügel, da
ich kein Geld bei mir hatte, traf ich ihn nicht – so bekam ich
auch Prügel. Ich besann mich also nicht lange und schlug den
ersten besten Weg ein, der an dem Wirtshause vorüber vom
Dorfe abführte. Der Reiter sprengte schnell zu seinem Begleiter zurück, und beide folgten mir dann in einiger Entfernung langsam nach. So zogen wir eigentlich recht närrisch
auf gut Glück in die mondhelle Nacht hinein. Der Weg lief
immerfort im Walde an einem Bergeshange fort. Zuweilen
konnte man über die Tannenwipfel, die von unten herauf-
langten und sich dunkel rührten, weit in die tiefen, stillen
Täler hinaussehen, hin und her schlug eine Nachtigall,
Hunde bellten in der Ferne in den Dörfern. Ein Fluß
rauschte beständig aus der Tiefe und blitzte zuweilen im
Mondschein auf. Dabei das einförmige Pferdegetrappel und
das Wirren und Schwirren der Reiter hinter mir, die unaufhörlich in einer fremden Sprache miteinander plauderten,
und das helle Mondlicht und die langen Schatten der Baum-
stämme, die wechselnd über die beiden Reiter wegflogen,
daß sie mir bald schwarz, bald hell, bald klein, bald wieder
riesengroß vorkamen. Mir verwirrten sich ordentlich die Gedanken, als läge ich in einem Traum und könnte gar nicht
aufwachen. Ich schritt immer stramm vor mich hin. Wir müssen, dachte ich, doch am Ende aus dem Walde und aus der
Nacht herauskommen.

Endlich flogen hin und wieder schon lange rötliche Scheine

über den Himmel, ganz leise, wie wenn man über einen Spiegel haucht, auch eine Lerche sang schon hoch über dem stillen Tale. Da wurde mir auf einmal ganz klar im Herzen bei dem Morgengruße, und alle Furcht war vorüber. Die beiden Reiter aber streckten sich, und sahen sich nach allen Seiten um, und schienen nun erst gewahr zu werden, daß wir doch wohl nicht auf dem rechten Wege sein mochten. Sie plauderten wieder viel, und ich merkte wohl, daß sie von mir sprachen, ja es kam mir vor, als finge der eine sich vor mir zu fürchten an, als könnt ich wohl gar so ein heimlicher Schnapphahn sein, der sie im Walde irreführen wollte. Das machte mir Spaß, denn je lichter es ringsum wurde, je mehr Courage kriegt' ich, zumal da wir soeben auf einen schönen, freien Waldplatz herauskamen. Ich sah mich daher nach allen Seiten ganz wild um und pfiff dann ein paarmal auf den Fingern, wie die Spitzbuben tun, wenn sie sich einander Signale geben wollen.

»Halt!« rief auf einmal der eine von den Reitern, daß ich ordentlich zusammenfuhr. Wie ich mich umsehe, sind sie beide abgestiegen und haben ihre Pferde an einen Baum angebunden. Der eine kommt aber rasch auf mich los, sieht mir ganz starr ins Gesicht und fängt auf einmal ganz unmäßig an zu lachen. Ich muß gestehen, mich ärgerte das unvernünftige Gelächter. Er aber sagte: »Wahrhaftig, das ist der Gärtner, wollt' sagen: Einnehmer vom Schloß!«

Ich sah ihn groß an, wußt' mich aber seiner nicht zu erinnern, hätt' auch viel zu tun gehabt, wenn ich mir alle die jungen Herren hätte ansehen wollen, die auf dem Schloß ab und zu ritten. Er aber fuhr mit ewigem Gelächter fort: »Das ist prächtig! Du vazierst, wie ich sehe, wir brauchen eben einen Bedienten, bleib bei uns, da hast du ewige Vakanz.« – Ich war ganz verblüfft und sagte endlich, daß ich soeben auf einer Reise nach Italien begriffen wäre. – »Nach Italien?!« entgegnete der Fremde, »eben dahin wollen auch wir!« – »Nun, wenn *das* ist!« rief ich aus und zog voller Freude meine Geige aus der Tasche und strich, daß die Vögel

36

im Walde aufwachten. Der Herr aber erwischte geschwind
den andern Herrn und walzte mit ihm wie verrückt auf dem
Rasen herum.

Dann standen sie plötzlich still. »Bei Gott«, rief der eine,
»da seh ich schon den Kirchturm von B.! Nun, da wollen
wir bald unten sein.« Er zog seine Uhr heraus und ließ sie
repetieren, schüttelte mit dem Kopfe und ließ noch einmal
schlagen. »Nein«, sagte er, »das geht nicht, wir kommen so
zu früh hin, das könnte schlimm werden!«

Darauf holten sie von ihren Pferden Kuchen, Braten und
Weinflaschen, breiteten eine schöne bunte Decke auf dem
grünen Rasen aus, streckten sich darüber hin und schmausten
sehr vergnüglich, teilten auch mir von allem sehr reichlich
mit, was mir gar wohl bekam, da ich seit einigen Tagen
schon nicht mehr vernünftig gespeist hatte. – »Und daß
du's weißt«, sagte der eine zu mir, »– aber du kennst uns
doch nicht?« – Ich schüttelte mit dem Kopfe. – »Also,
daß du's weißt: ich bin der Maler Leonhard, und das dort
ist – wieder ein Maler – Guido geheißen.«

Ich besah mir nun die beiden Maler genauer bei der Morgendämmerung. Der eine, Herr Leonhard, war groß, schlank,
braun, mit lustigen, feurigen Augen. Der andere war viel
jünger, kleiner und feiner, auf altdeutsche Mode gekleidet,
wie es der Portier nannte, mit weißem Kragen und bloßem
Hals, um den die dunkelbraunen Locken herabhingen, die er
oft aus dem hübschen Gesichte wegschütteln mußte. – Als
dieser genug gefrühstückt hatte, griff er nach meiner Geige,
die ich neben mir auf den Boden gelegt hatte, setzte sich damit auf einen umgehauenen Baumast und klimperte darauf
mit den Fingern. Dann sang er dazu so hell wie ein Waldvöglein, daß es mir recht durchs ganze Herz klang:

> Fliegt der erste Morgenstrahl
> Durch das stille Nebeltal,
> Rauscht erwachend Wald und Hügel:
> Wer da fliegen kann, nimmt Flügel!

Und sein Hütlein in die Luft
Wirft der Mönch vor Lust und ruft:
Hat Gesang doch auch noch Schwingen,
Nun so will ich fröhlich singen!

Dabei spielten die rötlichen Morgenscheine recht anmutig 5
über sein etwas blasses Gesicht und die schwarzen verliebten
Augen. Ich aber war so müde, daß sich mir die Worte und
Noten, während er so sang, immer mehr verwirrten, bis ich
zuletzt fest einschlief.

Als ich nach und nach wieder zu mir selber kam, hörte ich 10
wie im Traume die beiden Maler noch immer neben mir
sprechen und die Vögel über mir singen, und die Morgenstrahlen schimmerten mir durch die geschlossenen Augen,
daß mir's innerlich so dunkelhell war, wie wenn die Sonne
durch rotseidene Gardinen scheint. »Come è bello!« hört' 15
ich da dicht neben mir ausrufen. Ich schlug die Augen
auf und erblickte den jungen Maler, der im funkelnden
Morgenlicht über mich hergebeugt stand, so daß beinah nur
die großen schwarzen Augen zwischen den herabhängenden
Locken zu sehen waren. 20

Ich sprang geschwind auf, denn es war schon heller Tag
geworden. Der Herr Leonhard schien verdrüßlich zu sein,
er hatte zwei zornige Falten auf der Stirn und trieb hastig
zum Aufbruch. Der andere Maler aber schüttelte seine Lok-
ken aus dem Gesicht und trällerte, während er sein Pferd 25
aufzäumte, ruhig ein Liedchen vor sich hin, bis Leonhard zuletzt plötzlich laut auflachte, schnell eine Flasche ergriff, die
noch auf dem Rasen stand, und den Rest in die Gläser ein-
schenkte. »Auf eine glückliche Ankunft!« rief er aus, sie stießen mit den Gläsern zusammen, es gab einen schönen Klang. 30
Darauf schleuderte Leonhard die leere Flasche hoch ins
Morgenrot, daß es lustig in der Luft funkelte.

Endlich setzten sie sich auf ihre Pferde, und ich marschierte frisch wieder nebenher. Gerade vor uns lag ein un-
übersehliches Tal, in das wir nun hinunterzogen. Da war ein 35

Blitzen und Rauschen und Schimmern und Jubilieren! Mir war so kühl und fröhlich zumute, als sollt' ich von dem Berge in die prächtige Gegend hinausfliegen.

VIERTES KAPITEL

Nun ade, Mühle und Schloß und Portier! Nun ging's, daß mir der Wind am Hute pfiff. Rechts und links flogen Dörfer, Städte und Weingärten vorbei, daß es einem vor den Augen flimmerte; hinter mir die beiden Maler im Wagen, vor mir vier Pferde mit einem prächtigen Postillon, ich hoch oben auf dem Kutschbock, daß ich oft ellenhoch in die Höhe flog.

Das war so zugegangen: Als wir vor B. ankommen, kommt schon am Dorfe ein langer, dürrer, grämlicher Herr im grünen Flauschrock uns entgegen, macht viele Bücklinge vor den Herrn Malern und führt uns in das Dorf hinein. Da stand unter den hohen Linden vor dem Posthause schon ein prächtiger Wagen mit vier Postpferden bespannt. Herr Leonhard meinte unterwegs, ich hätte meine Kleider ausgewachsen. Er holte daher geschwind andere aus seinem Mantelsack hervor, und ich mußte einen ganz neuen schönen Frack und Weste anziehn, die mir sehr vornehm zu Gesicht standen, nur daß mir alles zu lang und weit war und ordentlich um mich herumschlotterte. Auch einen ganz neuen Hut bekam ich, der funkelte in der Sonne, als wär' er mit frischer Butter überschmiert. Dann nahm der fremde, grämliche Herr die beiden Pferde der Maler am Zügel, die Maler sprangen in den Wagen, ich auf den Bock, und so flogen wir schon fort, als eben der Postmeister mit der Schlafmütze aus dem Fenster guckte. Der Postillon blies lustig auf dem Horne, und so ging es frisch nach Italien hinein.

Ich hatte eigentlich da droben ein prächtiges Leben, wie der Vogel in der Luft, und brauchte doch dabei nicht selbst

39

zu fliegen. Zu tun hatte ich auch weiter nichts, als Tag und Nacht auf dem Bocke zu sitzen und bei den Wirtshäusern manchmal Essen und Trinken an den Wagen herauszubringen, denn die Maler sprachen nirgends ein, und bei Tage zogen sie die Fenster am Wagen so fest zu, als wenn die Sonne sie erstechen wollte. Nur zuweilen steckte der Herr Guido sein hübsches Köpfchen zum Wagenfenster heraus und diskurrierte freundlich mit mir und lachte dann den Herrn Leonhard aus, der das nicht leiden wollte und jedesmal über die langen Diskurse böse wurde. Ein paarmal hätte ich bald Verdruß bekommen mit meinem Herrn. Das eine Mal, wie ich bei schöner, sternklarer Nacht droben auf dem Bock die Geige zu spielen anfing, und sodann späterhin wegen des Schlafes. Das war aber auch ganz zum Erstaunen! Ich wollte mir doch Italien recht genau besehen und riß die Augen alle Viertelstunden weit auf. Aber kaum hatte ich ein Weilchen so vor mich hin gesehen, so verschwirrten und verwickelten sich mir die sechszehn Pferdefüße vor mir wie Filet so hin und her und übers Kreuz, daß mir die Augen gleich wieder übergingen, und zuletzt geriet ich in ein solches entsetzliches und unaufhaltsames Schlafen, daß gar kein Rat mehr war. Da mocht' es Tag oder Nacht, Regen oder Sonnenschein, Tirol oder Italien sein, ich hing bald rechts, bald links, bald rücklings über den Bock herunter, ja manchmal tunkte ich mit solcher Vehemenz mit dem Kopfe nach dem Boden zu, daß mir der Hut weit vom Kopfe flog und der Herr Guido im Wagen laut aufschrie.

So war ich, ich weiß selbst nicht wie, durch halb Welschland, das sie dort Lombardei nennen, durchgekommen, als wir an einem schönen Abend vor einem Wirtshause auf dem Lande stillhielten. Die Post-Pferde waren in dem daranstoßenden Stationsdorfe erst nach ein paar Stunden bestellt, die Herren Maler stiegen daher aus und ließen sich in ein besonderes Zimmer führen, um hier ein wenig zu rasten und einige Briefe zu schreiben. Ich aber war sehr vergnügt darüber und verfügte mich sogleich in die Gaststube, um endlich wieder einmal so recht mit Ruhe und Kommodität zu essen und zu trinken. Da sah es ziemlich lüderlich aus. Die Mägde gingen mit zerzottelten Haaren herum und hatten die offnen Halstücher unordentlich um das gelbe Fell hängen. Um einen runden Tisch saßen die Knechte vom Hause in blauen Überziehhemden beim Abendessen und glotzten mich zuweilen von der Seite an. Die hatten alle kurze, dicke Haarzöpfe und sahen so recht vornehm wie junge Herrlein aus. – Da bist du nun, dachte ich bei mir und aß fleißig fort, da bist du nun endlich in dem Lande, woher immer die kuriosen Leute zu unserm Herrn Pfarrer kamen mit Mausefallen und Barometern und Bildern. Was der Mensch doch nicht alles erfährt, wenn er sich einmal hinterm Ofen hervormacht!

Wie ich noch eben so esse und meditiere, wuscht ein Männlein, das bis jetzt in einer dunklen Ecke der Stube bei seinem Glase Wein gesessen hatte, auf einmal aus seinem Winkel wie eine Spinne auf mich los. Er war ganz kurz und bucklicht, hatte aber einen großen grauslichen Kopf mit einer langen römischen Adlernase und sparsamen roten Backenbart, und die gepuderten Haare standen ihm von allen Seiten zu Berge, als wenn der Sturmwind durchgefahren wäre. Dabei trug er einen altmodischen, verschossenen Frack, kurze plüschene Beinkleider und ganz vergelbte seidene Strümpfe. Er war einmal in Deutschland gewesen und dachte Wunder wie gut er Deutsch verstünde. Er setzte sich zu mir und frug bald das, bald jenes, während er immerfort Tabak schnupfte: ob ich der Servitore sei? wenn wir arriware? ob wir nach Roma kehn? Aber das wußte ich alles selber nicht und konnte auch sein Kauderwelsch gar nicht verstehn. »Parlezvous français?« sagte ich endlich in meiner Angst zu ihm. Er schüttelte mit dem großen Kopfe, und das war mir sehr lieb, denn ich konnte ja auch nicht Französisch. Aber das half alles nichts. Er hatte mich einmal recht aufs Korn genommen, er frug und frug immer wieder; je mehr wir parlierten, je weniger verstand einer den andern, zuletzt wurden wir beide schon hitzig, so daß mir's manchmal vorkam,

41

als wollte der Signor mit seiner Adlernase nach mir hacken, bis endlich die Mägde, die den babylonischen Diskurs mit angehört hatten, uns beide tüchtig auslachten. Ich aber legte schnell Messer und Gabel hin und ging vor die Haustür hinaus. Denn mir war in dem fremden Lande nicht anders, als wäre ich mit meiner deutschen Zunge tausend Klafter tief ins Meer versenkt und allerlei unbekanntes Gewürm ringelte sich und rauschte da in der Einsamkeit um mich her und glotzte und schnappte nach mir.

Draußen war eine warme Sommernacht, so recht um passatim zu gehn. Weit von den Weinbergen herüber hörte man noch zuweilen einen Winzer singen, dazwischen blitzte es manchmal von ferne, und die ganze Gegend zitterte und säuselte im Mondenschein. Ja manchmal kam es mir vor, als schlüpfte eine lange, dunkle Gestalt hinter den Haselnußsträuchen vor dem Hause vorüber und guckte durch die Zweige, dann war alles auf einmal wieder still. – Da trat der Herr Guido eben auf den Balkon des Wirtshauses heraus. Er bemerkte mich nicht und spielte sehr geschickt auf einer Zither, die er im Hause gefunden haben mußte, und sang dann dazu wie eine Nachtigall.

> »Schweigt der Menschen laute Lust:
> Rauscht die Erde wie in Träumen
> Wunderbar mit allen Bäumen,
> Was dem Herzen kaum bewußt,
> Alte Zeiten, linde Trauer,
> Und es schweifen leise Schauer
> Wetterleuchtend durch die Brust.«

Ich weiß nicht, ob er noch mehr gesungen haben mag, denn ich hatte mich auf die Bank vor der Haustür hingestreckt und schlief in der lauen Nacht vor großer Ermüdung fest ein.

Es mochten wohl ein paar Stunden ins Land gegangen sein, als mich ein Posthorn aufweckte, das lange Zeit lustig

in meine Träume hereinblies, ehe ich mich völlig besinnen
konnte. Ich sprang endlich auf, der Tag dämmerte schon an
den Bergen, und die Morgenkühle rieselte mir durch alle
Glieder. Da fiel mir erst ein, daß wir ja um diese Zeit schon
5 wieder weit fort sein wollten. Aha, dachte ich, heut ist einmal das Wecken und Auslachen an mir. Wie wird der Herr
Guido mit dem verschlafenen Lockenkopfe herausfahren,
wenn er mich draußen hört! So ging ich in den kleinen Garten am Hause dicht unter die Fenster, wo meine Herren
10 wohnten, dehnte mich noch einmal recht ins Morgenrot hinein und sang fröhlichen Mutes:

>>Wenn der Hoppevogel schreit,
Ist der Tag nicht mehr weit,
Wenn die Sonne sich auftut,
15 Schmeckt der Schlaf noch so gut! –«

Das Fenster war offen, aber es blieb alles still oben, nur
der Nachtwind ging noch durch die Weinranken, die sich
bis in das Fenster hineinstreckten. – »Nun, was soll denn
das wieder bedeuten?« rief ich voll Erstaunen aus und lief
20 in das Haus und durch die stillen Gänge nach der Stube zu.
Aber da gab es mir einen rechten Stich ins Herz. Denn wie
ich die Türe aufreiße, ist alles leer, darin kein Frack, kein
Hut, kein Stiefel. – Nur die Zitter, auf der Herr Guido
gestern gespielt hatte, hing an der Wand, auf dem Tische
25 mitten in der Stube lag ein schöner voller Geldbeutel, worauf ein Zettel geklebt war. Ich hielt ihn näher ans Fenster
und traute meinen Augen kaum, es stand wahrhaftig mit
großen Buchstaben darauf: Für den Herrn Einnehmer!
Was war mir aber das alles nütze, wenn ich meine lieben
30 lustigen Herrn nicht wiederfand? Ich schob den Beutel in
meine tiefe Rocktasche, das plumpte wie in einen tiefen
Brunn, daß es mich ordentlich hintenüber zog. Dann rannte
ich hinaus, machte einen großen Lärm und weckte alle
Knechte und Mägde im Hause. Die wußten gar nicht, was

ich wollte, und meinten, ich wäre verrückt geworden Dann aber verwunderten sie sich nicht wenig, als sie oben das leere Nest sahen. Niemand wußte etwas von meinen Herren. Nur die eine Magd – wie ich aus ihren Zeichen und Gestikulationen zusammenbringen konnte – hatte bemerkt, daß der Herr Guido, als er gestern abends auf dem Balkon sang, auf einmal laut aufschrie und dann geschwind zu dem andern Herrn in das Zimmer zurückstürzte. Als sie hernach in der Nacht einmal aufwachte, hörte sie draußen Pferdegetrappel. Sie guckte durch das kleine Kammerfenster und sah den bucklichten Signor, der gestern so viel mit mir gesprochen hatte, auf einem Schimmel im Mondschein quer übers Feld galoppieren, daß er immer ellenhoch überm Sattel in die Höhe flog und die Magd sich bekreuzte, weil es aussah wie ein Gespenst, das auf einem dreibeinigen Pferde reitet. – Da wußt' ich nun gar nicht, was ich machen sollte.

Unterdes aber stand unser Wagen schon lange vor der Türe angespannt, und der Postillon stieß ungeduldig ins Horn, daß er hätte bersten mögen, denn er mußte zur bestimmten Stunde auf der nächsten Station sein, da alles durch Laufzettel bis auf die Minute vorausbestellt war. Ich rannte noch einmal um das ganze Haus herum und rief die Maler, aber niemand gab Antwort, die Leute aus dem Hause liefen zusammen und gafften mich an, der Postillon fluchte, die Pferde schnaubten, ich, ganz verblüfft, springe endlich geschwind in den Wagen hinein, der Hausknecht schlägt die Türe hinter mir zu, der Postillon knallt, und so ging's mit mir fort in die weite Welt hinein.

FÜNFTES KAPITEL

Wir fuhren nun über Berg und Tal, Tag und Nacht immer fort. Ich hatte gar nicht Zeit, mich zu besinnen, denn wo wir hinkamen, standen die Pferde angeschirrt, ich konnte mit

44

den Leuten nicht sprechen, mein Demonstrieren half also nichts; oft, wenn ich im Wirtshause eben beim besten Essen war, blies der Postillon, ich mußte Messer und Gabel wegwerfen und wieder in den Wagen springen und wußte doch eigentlich gar nicht, wohin und weswegen ich just mit so ausnehmender Geschwindigkeit fortreisen sollte.

Sonst war die Lebensart gar nicht so übel. Ich legte mich, wie auf einem Kanapee, bald in die eine, bald in die andere Ecke des Wagens und lernte Menschen und Länder kennen, und wenn wir durch Städte fuhren, lehnte ich mich auf beide Arme zum Wagenfenster heraus und dankte den Leuten, die höflich vor mir den Hut abnahmen, oder ich grüßte die Mädchen an den Fenstern wie ein alter Bekannter, die sich dann immer sehr verwunderten und mir noch lange neugierig nachguckten.

Aber zuletzt erschrak ich sehr. Ich hatte das Geld in dem gefundenen Beutel niemals gezählt, den Postmeistern und Gastwirten mußte ich überall viel bezahlen, und ehe ich mich's versah, war der Beutel leer. Anfangs nahm ich mir vor, sobald wir durch einen einsamen Wald führen, schnell aus dem Wagen zu springen und zu entlaufen. Dann aber tat es mir wieder leid, nun den schönen Wagen so allein zu lassen, mit dem ich sonst wohl noch bis ans Ende der Welt fortgefahren wäre.

Nun saß ich eben voller Gedanken und wußte nicht aus noch ein, als es auf einmal seitwärts von der Landstraße abging. Ich schrie zum Wagen heraus auf den Postillon: wohin er denn fahre? Aber ich mochte sprechen, was ich wollte, der Kerl sagte immer bloß: »Si, Si, Signore!« und fuhr immer über Stock und Stein, daß ich aus einer Ecke des Wagens in die andere flog.

Das wollte mir gar nicht in den Sinn, denn die Landstraße lief grade durch eine prächtige Landschaft auf die untergehende Sonne zu, wohl wie in ein Meer von Glanz und Funken. Von der Seite aber, wohin wir uns gewendet hatten, lag ein wüstes Gebürge vor uns mit grauen Schluchten,

zwischen denen es schon lange dunkel geworden war. – Je
weiter wir fuhren, je wilder und einsamer wurde die Gegend. Endlich kam der Mond hinter den Wolken hervor und
schien auf einmal so hell zwischen die Bäume und Felsen
herein, daß es ordentlich grauslich anzusehen war. Wir konn- 5
ten nur langsam fahren in den engen, steinigten Schluchten,
und das einförmige ewige Gerassel des Wagens schallte an
den Steinwänden weit in die stille Nacht, als führen wir in
ein großes Grabgewölbe hinein. Nur von vielen Wasserfäl-
len, die man aber nicht sehen konnte, war ein unaufhör- 10
liches Rauschen tiefer im Walde, und die Käuzchen riefen
aus der Ferne immerfort: »Komm mit, Komm mit!« – Dabei kam es mir vor, als wenn der Kutscher, der, wie ich
jetzt erst sah, gar keine Uniform hatte und kein Postillon
war, sich einigemal unruhig umsahe und schneller zu fahren 15
anfing, und wie ich mich recht zum Wagen herauslegte, kam
plötzlich ein Reiter aus dem Gebüsch hervor, sprengte dicht
vor unseren Pferden quer über den Weg und verlor sich sogleich wieder auf der andern Seite im Walde. Ich war ganz
verwirrt, denn, soviel ich bei dem hellen Mondschein erken- 20
nen konnte, war es dasselbe bucklige Männlein auf seinem
Schimmel, das in dem Wirtshause mit der Adlernase nach
mir gehackt hatte. Der Kutscher schüttelte den Kopf und
lachte laut auf über die närrische Reiterei, wandte sich aber
dann rasch zu mir um, sprach sehr viel und sehr eifrig, wo- 25
von ich leider nichts verstand, und fuhr dann noch rascher
fort.

Ich aber war froh, als ich bald darauf von ferne ein Licht
schimmern sah. Es fanden sich nach und nach noch mehrere
Lichter, sie wurden immer größer und heller, und endlich 30
kamen wir an einigen verräucherten Hütten vorüber, die
wie Schwalbennester auf dem Felsen hingen. Da die Nacht
warm war, so standen die Türen offen, und ich konnte darin
die hell erleuchteten Stuben und allerlei lumpiges Gesindel
sehen, das wie dunkle Schatten um das Herdfeuer herum- 35
hockte. Wir aber rasselten durch die stille Nacht einen Stein-

weg hinan, der sich auf einen hohen Berg hinaufzog. Bald
überdeckten hohe Bäume und herabhängende Sträucher den
ganzen Hohlweg, bald konnte man auf einmal wieder das
ganze Firmament und in der Tiefe die weite, stille Runde
von Bergen, Wäldern und Tälern übersehen. Auf dem Gipfel des Berges stand ein großes altes Schloß mit vielen Türmen im hellsten Mondenschein. – »Nun Gott befohlen!« rief
ich aus und war innerlich ganz munter geworden vor Erwartung, wo sie mich da am Ende noch hinbringen würden.

Es dauerte wohl noch eine gute halbe Stunde, ehe wir
endlich auf dem Berge am Schloßtore ankamen. Das ging in
einen breiten, runden Turm hinein, der oben schon ganz ver-
fallen war. Der Kutscher knallte dreimal, daß es weit in
dem alten Schlosse widerhallte, wo ein Schwarm von Dohlen ganz erschrocken plötzlich aus allen Luken und Ritzen
herausfuhr und mit großem Geschrei die Luft durchkreuzte.
Darauf rollte der Wagen in den langen, dunklen Torweg
hinein. Die Pferde gaben mit ihren Hufeisen Feuer auf dem
Steinpflaster, ein großer Hund bellte, der Wagen donnerte
zwischen den gewölbten Wänden. Die Dohlen schrien noch
immer dazwischen – so kamen wir mit einem entsetzlichen
Spektakel in den engen, gepflasterten Schloßhof.

Eine kuriose Station! dachte ich bei mir, als nun der Wagen stillstand. Da wurde die Wagentür von draußen aufgemacht, und ein alter, langer Mann mit einer kleinen Laterne sah mich unter seinen dicken Augenbrauen grämlich
an. Er faßte mich dann unter den Arm und half mir, wie
einem großen Herrn, aus dem Wagen heraus. Draußen vor
der Haustür stand eine alte, sehr häßliche Frau im schwarzen Kamisol und Rock, mit einer weißen Schürze und
schwarzen Haube, von der ihr ein langer Schnipper bis an
die Nase herunterhing. Sie hatte an der einen Hüfte einen
großen Bund Schlüssel hängen und hielt in der andern einen
altmodischen Armleuchter mit zwei brennenden Wachskerzen. Sobald sie mich erblickte, fing sie an, tiefe Knickse zu
machen, und sprach und frug sehr viel durcheinander. Ich

47

verstand aber nichts davon und machte immerfort Kratzfüße vor ihr, und es war mir eigentlich recht unheimlich zumute.

Der alte Mann hatte unterdes mit seiner Laterne den Wagen von allen Seiten beleuchtet und brummte und schüttelte
den Kopf, als er nirgend einen Koffer oder Bagage fand.
Der Kutscher fuhr darauf, ohne Trinkgeld von mir zu for-
dern, den Wagen in einen alten Schoppen, der auf der Seite
des Hofes schon offen stand. Die alte Frau aber bat mich
sehr höflich durch allerlei Zeichen, ihr zu folgen. Sie führte
mich mit ihren Wachskerzen durch einen langen schmalen
Gang, und dann eine kleine steinerne Treppe herauf. Als
wir an der Küche vorbeigingen, streckten ein paar junge
Mägde neugierig die Köpfe durch die halbgeöffnete Tür und
guckten mich so starr an und winkten und nickten einander
heimlich zu, als wenn sie in ihrem Leben noch kein Manns-
bild gesehen hätten. Die Alte machte endlich oben eine Türe
auf, da wurde ich anfangs ordentlich ganz verblüfft. Denn
es war ein großes, schönes, herrschaftliches Zimmer mit goldenen Verzierungen an der Decke, und an den Wänden hingen prächtige Tapeten mit allerlei Figuren und großen Blumen. In der Mitte stand ein gedeckter Tisch mit Braten,
Kuchen, Salat, Obst, Wein und Konfekt, daß einem recht
das Herz im Leibe lachte. Zwischen den beiden Fenstern
hing ein ungeheurer Spiegel, der vom Boden bis zur Decke
reichte.

Ich muß sagen, das gefiel mir recht wohl. Ich streckte mich
ein paarmal und ging mit langen Schritten vornehm im Zimmer auf und ab. Dann konnt' ich aber doch nicht widerstehen, mich einmal in einem so großen Spiegel zu besehen.
Das ist wahr, die neuen Kleider vom Herrn Leonhard standen mir recht schön, auch hatte ich in Italien so ein gewisses
feuriges Auge bekommen, sonst aber war ich grade noch so
ein Milchbart, wie ich zu Hause gewesen war, nur auf der
Oberlippe zeigten sich erst ein paar Flaumfedern.

Die alte Frau mahlte indes in einem fort mit ihrem zahnlosen Munde, daß es nicht anders aussah, als wenn sie an der langen, herunterhängenden Nasenspitze kaute. Dann nötigte sie mich zum Sitzen, streichelte mir mit ihren dürren Fingern das Kinn, nannte mich poverino! wobei sie mich aus den roten Augen so schelmisch ansah, daß sich ihr der eine Mundwinkel bis an die halbe Wange in die Höhe zog, und ging endlich mit einem tiefen Knicks zur Türe hinaus.

Ich aber setzte mich zu dem gedeckten Tisch, während eine junge hübsche Magd hereintrat, um mich bei der Tafel zu bedienen. Ich knüpfte allerlei galanten Diskurs mit ihr an, sie verstand mich aber nicht, sondern sah mich immer ganz kurios von der Seite an, weil mir's so gut schmeckte, denn das Essen war delikat. Als ich satt war und wieder aufstand, nahm die Magd ein Licht von der Tafel und führte mich in ein anderes Zimmer. Da war ein Sofa, ein kleiner Spiegel und ein prächtiges Bett mit grünseidenen Vorhängen. Ich frug sie mit Zeichen, ob ich mich da hineinlegen sollte? Sie nickte zwar: »Ja«, aber das war denn doch nicht möglich, denn sie blieb wie angenagelt bei mir stehen. Endlich holte ich mir noch ein großes Glas Wein aus der Tafelstube herein und rief ihr zu: »felicissima notte!«, denn soviel hatt' ich schon Italienisch gelernt. Aber wie ich das Glas so auf einmal ausstürzte, bricht sie plötzlich in ein verhaltnes Kichern aus, wird über und über rot, geht in die Tafelstube und macht die Türe hinter sich zu. Was ist da zu lachen? dachte ich ganz verwundert, ich glaube, die Leute in Italien sind alle verrückt.

Ich hatte nun nur immer Angst vor dem Postillon, daß der gleich wieder zu blasen anfangen würde. Ich horchte am Fenster, aber es war alles stille draußen. Laß ihn blasen! dachte ich, zog mich aus und legte mich in das prächtige Bett. Das war nicht anders, als wenn man in Milch und Honig schwämme! Vor den Fenstern rauschte die alte Linde im Hofe, zuweilen fuhr noch eine Dohle plötzlich vom Dache auf, bis ich endlich voller Vergnügen einschlief.

SECHSTES KAPITEL

Als ich wieder erwachte, spielten schon die ersten Morgenstrahlen an den grünen Vorhängen über mir. Ich konnte
mich gar nicht besinnen, wo ich eigentlich wäre. Es kam mir
vor, als führe ich noch immerfort im Wagen und es hätte
mir von einem Schlosse im Mondschein geträumt und von
einer alten Hexe und ihrem blassen Töchterlein.

Ich sprang endlich rasch aus dem Bette, kleidete mich an
und sah mich dabei nach allen Seiten in dem Zimmer um.
Da bemerkte ich eine kleine Tapetentür, die ich gestern gar
nicht gesehen hatte. Sie war nur angelehnt, ich öffnete sie
und erblickte ein kleines, nettes Stübchen, das in der Morgendämmerung recht heimlich aussah. Über einen Stuhl
waren Frauenkleider unordentlich hingeworfen, auf einem
Bettchen daneben lag das Mädchen, das mir gestern abends
bei der Tafel aufgewartet hatte. Sie schlief noch ganz ruhig
und hatte den Kopf auf den weißen bloßen Arm gelegt,
über den ihre schwarzen Locken herabfielen. »Wenn die
wüßte, daß die Tür offen war!« sagte ich zu mir selbst und
ging in mein Schlafzimmer zurück, während ich hinter mir
wieder schloß und verriegelte, damit das Mädchen nicht erschrecken und sich schämen sollte, wenn sie erwachte.

Draußen ließ sich noch kein Laut vernehmen. Nur ein
früherwachtes Waldvöglein saß vor meinem Fenster auf
einem Strauch, der aus der Mauer herauswuchs, und sang
schon sein Morgenlied. »Nein«, sagte ich, »du sollst mich
nicht beschämen und allein so früh und fleißig Gott loben!«
– Ich nahm schnell meine Geige, die ich gestern auf das
Tischchen gelegt hatte, und ging hinaus. Im Schlosse war
noch alles totenstill, und es dauerte lange, ehe ich mich aus
den dunklen Gängen ins Freie herausfand.

Als ich vor das Schloß heraustrat, kam ich in einen großen
Garten, der auf breiten Terrassen, wovon die eine immer
tiefer war als die andere, bis auf den halben Berg herunter-
ging. Aber das war eine lüderliche Gärtnerei. Die Gänge

50

waren alle mit hohem Grase bewachsen, die künstlichen
Figuren von Buchsbaum waren nicht beschnitten und streckten, wie Gespenster, lange Nasen oder ellenhohe spitzige
Mützen in die Luft hinaus, daß man sich in der Dämmerung
5 ordentlich davor hätte fürchten mögen. Auf einige zerbrochene Statuen über einer vertrockneten Wasserkunst war gar
Wäsche aufgehängt, hin und wieder hatten sie mitten im
Garten Kohl gebaut, dann kamen wieder ein paar ordinäre
Blumen, alles unordentlich durcheinander und von hohem,
10 wildem Unkraut überwachsen, zwischen dem sich bunte Ei-
dechsen schlängelten. Zwischen den alten, hohen Bäumen hindurch aber war überall eine weite, einsame Aussicht, eine
Bergkoppe hinter der andern, so weit das Auge reichte.

  Nachdem ich so ein Weilchen in der Morgendämmerung
15 durch die Wildnis umherspaziert war, erblickte ich auf der
Terrasse unter mir einen langen, schmalen, blassen Jüngling
in einem langen braunen Kaputrock, der mit verschränkten
Armen und großen Schritten auf und ab ging. Er tat, als
sähe er mich nicht, setzte sich bald darauf auf eine steinerne
20 Bank hin, zog ein Buch aus der Tasche, las sehr laut, als
wenn er predigte, sah dabei zuweilen zum Himmel und
stützte dann den Kopf ganz melancholisch auf die rechte
Hand. Ich sah ihm lange zu, endlich wurde ich doch neugierig, warum er denn eigentlich so absonderliche Grimassen
25 machte, und ging schnell auf ihn zu. Er hatte eben einen tiefen Seufzer ausgestoßen und sprang erschrocken auf, als ich
ankam. Er war voller Verlegenheit, ich auch, wir wußten
beide nicht, was wir sprechen sollten und machten immerfort
Komplimente voreinander, bis er endlich mit langen Schrit-
30 ten in das Gebüsch Reißaus nahm. Unterdes war die Sonne
über dem Walde aufgegangen, ich sprang auf die Bank hinauf und strich vor Lust meine Geige, daß es weit in die stillen Täler herunterschallte. Die Alte mit dem Schlüsselbunde,
die mich schon ängstlich im ganzen Schlosse zum Frühstück
35 aufgesucht hatte, erschien nun auf der Terrasse über mir und
verwunderte sich, daß ich so artig auf der Geige spielen

konnte. Der alte grämliche Mann vom Schlosse fand sich dazu und verwunderte sich ebenfalls, endlich kamen auch noch die Mägde, und alles blieb oben voller Verwunderung stehen, und ich fingerte und schwenkte meinen Fiedelbogen immer künstlicher und hurtiger und spielte Kadenzen und Variationen, bis ich endlich ganz müde wurde.

Das war nun aber doch ganz seltsam auf dem Schlosse! Kein Mensch dachte da ans Weiterreisen. Das Schloß war auch gar kein Wirtshaus, sondern gehörte, wie ich von der Magd erfuhr, einem reichen Grafen. Wenn ich mich dann manchmal bei der Alten erkundigte, wie der Graf heiße, wo er wohne? Da schmunzelte sie immer bloß, wie den ersten Abend, da ich auf das Schloß kam, und kniff und winkte mir so pfiffig mit den Augen zu, als wenn sie nicht recht bei Sinne wäre. Trank ich einmal an einem heißen Tage eine ganze Flasche Wein aus, so kicherten die Mägde gewiß, wenn sie die andere brachten, und als mich dann gar einmal nach einer Pfeife Tabak verlangte, ich ihnen durch Zeichen beschrieb was ich wollte, da brachen alle in ein großes, unvernünftiges Gelächter aus. – Am verwunderlichsten war mir eine Nachtmusik, die sich oft und grade immer in den finstersten Nächten unter meinem Fenster hören ließ. Es griff auf einer Gitarre immer nur von Zeit zu Zeit einzelne, ganz leise Klänge. Das eine Mal aber kam es mir vor, als wenn es dabei von unten: »Pst! pst!« heraufrief. Ich fuhr daher geschwind aus dem Bett und mit dem Kopf aus dem Fenster. »Holla! heda! wer ist da draußen?« rief ich hinunter. Aber es antwortete niemand, ich hörte nur etwas sehr schnell durch die Gesträuche fortlaufen. Der große Hund im Hofe schlug über meinem Lärm ein paarmal an, dann war auf einmal alles wieder still, und die Nachtmusik ließ sich seitdem nicht wieder vernehmen.

Sonst hatte ich hier ein Leben, wie sich's ein Mensch nur immer in der Welt wünschen kann. Der gute Portier! er wußte wohl, was er sprach, wenn er immer zu sagen pflegte, daß in Italien einem die Rosinen von selbst in den Mund

52

wüchsen. Ich lebte auf dem einsamen Schlosse wie ein verwunschener Prinz. Wo ich hintrat, hatten die Leute eine große Ehrerbietung vor mir, obgleich sie schon alle wußten, daß ich keinen Heller in der Tasche hatte. Ich durfte nur sagen: »Tischchen deck' Dich!« so standen auch schon herrliche Speisen, Reis, Wein, Melonen und Parmesankäse da. Ich ließ mir's wohlschmecken, schlief in dem prächtigen Himmelbett, ging im Garten spazieren, musizierte und half wohl auch manchmal in der Gärtnerei nach. Oft lag ich auch stundenlang im Garten im hohen Grase, und der schmale Jüngling (es war ein Schüler und Verwandter der Alten, der eben jetzt hier zur Vakanz war) ging mit seinem langen Kaputrock in weiten Kreisen um mich herum und murmelte dabei wie ein Zauberer aus seinem Buche, worüber ich dann auch jedesmal einschlummerte. – So verging ein Tag nach dem andern, bis ich am Ende anfing, von dem guten Essen und Trinken ganz melancholisch zu werden. Die Glieder gingen mir von dem ewigen Nichtstun ordentlich aus allen Gelenken, und es war mir, als würde ich vor Faulheit noch ganz auseinanderfallen.

In dieser Zeit saß ich einmal an einem schwülen Nachmittage im Wipfel eines hohen Baumes, der am Abhange stand, und wiegte mich auf den Ästen langsam über dem stillen, tiefen Tale. Die Bienen summten zwischen den Blättern um mich herum, sonst war alles wie ausgestorben, kein Mensch war zwischen den Bergen zu sehen, tief unter mir auf den stillen Waldwiesen ruhten die Kühe auf dem hohen Grase. Aber ganz von weiten kam der Klang eines Posthorns über die waldigen Gipfel herüber, bald kaum vernehmbar, bald wieder heller und deutlicher. Mir fiel dabei auf einmal ein altes Lied recht aufs Herz, das ich noch zu Hause auf meines Vaters Mühle von einem wandernden Handwerksburschen gelernt hatte, und ich sang:

> »Wer in die Fremde will wandern,
> Der muß mit der Liebsten gehn,

Es jubeln und lassen die andern
Den Fremden alleine stehn.

Was wisset ihr, dunkele Wipfeln,
Von der alten schönen Zeit?
Ach, die Heimat hinter den Gipfeln,   5
Wie liegt sie von hier so weit.

Am liebsten betracht ich die Sterne,
Die schienen, wenn ich ging zu ihr,
Die Nachtigall hör ich so gerne,
Sie sang vor der Liebsten Tür.   10

Der Morgen, das ist meine Freude!
Da steig ich in stiller Stund'
Auf den höchsten Berg in die Weite,
Grüß dich Deutschland aus Herzensgrund!«

Es war, als wenn mich das Posthorn bei meinem Liede aus   15
der Ferne begleiten wollte. Es kam, während ich sang, zwischen den Bergen immer näher und näher, bis ich es endlich
gar oben auf dem Schloßhofe schallen hörte. Ich sprang
rasch vom Baume herunter. Da kam mir auch schon die Alte
mit einem geöffneten Pakete aus dem Schlosse entgegen.   20
»Da ist auch etwas für Sie mitgekommen«, sagte sie und
reichte mir aus dem Paket ein kleines, niedliches Briefchen.
Es war ohne Aufschrift, ich brach es schnell auf. Aber da
wurde ich auch auf einmal im ganzen Gesichte so rot wie
eine Päonie, und das Herz schlug mir so heftig, daß es die   25
Alte merkte, denn das Briefchen war von – meiner schönen
Fraue, von der ich manches Zettelchen bei dem Herrn Amtmann gesehen hatte. Sie schrieb darin ganz kurz: »Es ist
alles wieder gut, alle Hindernisse sind beseitigt. Ich benutzte
heimlich diese Gelegenheit, um die erste zu sein, die Ihnen   30
diese freudige Botschaft schreibt. Kommen, eilen Sie zurück.
Es ist so öde hier, und ich kann kaum mehr leben, seit Sie
von uns fort sind. Aurelie.«

Die Augen gingen mir über, als ich das las, vor Entzücken und Schreck und unsäglicher Freude. Ich schämte mich vor dem alten Weibe, die mich wieder abscheulich anschmunzelte, und flog wie ein Pfeil bis in den allereinsamsten Winkel des Gartens. Dort warf ich mich unter den Haselnußsträuchern ins Gras hin und las das Briefchen noch einmal, sagte die Worte auswendig für mich hin und las dann wieder und immer wieder, und die Sonnenstrahlen tanzten zwischen den Blättern hindurch über die Buchstaben, daß sie sich wie goldene und hellgrüne und rote Blüten vor meinen Augen ineinanderschlangen. Ist sie am Ende gar nicht verheiratet gewesen? dachte ich, war der fremde Offizier damals vielleicht ihr Herr Bruder, oder ist er nun tot, oder bin ich toll, oder – »Das ist alles einerlei!« rief ich endlich und sprang auf, »nun ist's ja klar, sie liebt mich ja, sie liebt mich!«

Als ich aus dem Gesträuch wieder hervorkroch, neigte sich die Sonne zum Untergange. Der Himmel war rot, die Vögel sangen lustig in allen Wäldern, die Täler waren voller Schimmer, aber in meinem Herzen war es noch vieltausendmal schöner und fröhlicher!

Ich rief in das Schloß hinein, daß sie mir heut das Abendessen in den Garten herausbringen sollten. Die alte Frau, der alte grämliche Mann, die Mägde, sie mußten alle mit heraus und sich mit mir unter dem Baume an den gedeckten Tisch setzen. Ich zog meine Geige hervor und spielte und aß und trank dazwischen. Da wurden sie alle lustig, der alte Mann strich seine grämlichen Falten aus dem Gesicht und stieß ein Glas nach dem andern aus, die Alte plauderte in einem fort, Gott weiß was; die Mägde fingen an, auf dem Rasen miteinander zu tanzen. Zuletzt kam auch noch der blasse Student neugierig hervor, warf einige verächtliche Blicke auf das Spektakel und wollte ganz vornehm wieder weitergehen. Ich aber, nicht zu faul, sprang geschwind auf, erwischte ihn, eh' er sich's versah, bei seinem langen Überrock und walzte tüchtig mit ihm herum. Er strengte sich nun an, recht

55

zierlich und neumodisch zu tanzen, und füßelte so emsig und
künstlich, daß ihm der Schweiß vom Gesicht herunterfloß
und die langen Rockschöße wie ein Rad um uns herumflo-
gen. Dabei sah er mich aber manchmal so kurios mit verdreh-
ten Augen an, daß ich mich ordentlich vor ihm zu fürchten
anfing und ihn plötzlich wieder losließ.

Die Alte hätte nun gar zu gern erfahren, was in dem
Briefe stand und warum ich denn eigentlich heut auf einmal
so lustig war. Aber das war ja viel zu weitläuftig, um es ihr
auseinandersetzen zu können. Ich zeigte bloß auf ein paar
Kraniche, die eben hoch über uns durch die Luft zogen, und
sagte: ich müßte nun auch so fort und immer fort, weit in die
Ferne! – Da riß sie die vertrockneten Augen weit auf und
blickte wie ein Basilisk bald auf mich, bald auf den alten
Mann hinüber. Dann bemerkte ich, wie die beiden heimlich
die Köpfe zusammensteckten, sooft ich mich wegwandte, und
sehr eifrig miteinander sprachen und mich dabei zuweilen
von der Seite ansahen.

Das fiel mir auf. Ich sann hin und her, was sie wohl mit
mir vorhaben möchten. Darüber wurde ich stiller, die Sonne
war auch schon lange untergegangen, und so wünschte ich
allen gute Nacht und ging nachdenklich in meine Schlafstube
hinauf.

Ich war innerlich so fröhlich und unruhig, daß ich noch
lange im Zimmer auf und nieder ging. Draußen wälzte der
Wind schwere schwarze Wolken über den Schloßturm weg,
man konnte kaum die nächsten Bergkoppen in der dicken
Finsternis erkennen. Da kam es mir vor, als wenn ich im
Garten unten Stimmen hörte. Ich löschte mein Licht aus und
stellte mich ans Fenster. Die Stimmen schienen näher zu
kommen, sprachen aber sehr leise miteinander. Auf einmal
gab eine kleine Laterne, welche die eine Gestalt unterm Mantel trug, einen langen Schein. Ich erkannte nun den grämlichen Schloßverwalter und die alte Haushälterin. Das Licht
blitzte über das Gesicht der Alten, das mir noch niemals so
gräßlich vorgekommen war, und über ein langes Messer, das

sie in der Hand hielt. Dabei konnte ich sehen, daß sie beide
eben nach meinem Fenster hinaufsahen. Dann schlug der
Verwalter seinen Mantel wieder dichter um, und es war bald
alles wieder finster und still.

Was wollen die, dachte ich, zu dieser Stunde noch draußen im Garten? Mich schauderte, denn es fielen mir alle
Mordgeschichten ein, die ich in meinem Leben gehört hatte,
von Hexen und Räubern, welche Menschen abschlachten, um
ihre Herzen zu fressen. Indem ich noch so nachdenke, kommen Menschentritte, erst die Treppe herauf, dann auf dem
langen Gange ganz leise, leise auf meine Türe zu, dabei war
es, als wenn zuweilen Stimmen heimlich miteinander wisper-
ten. Ich sprang schnell an das andere Ende der Stube hinter
einen großen Tisch, den ich, sobald sich etwas rührte, vor
mir aufheben und so mit aller Gewalt auf die Türe losren-
nen wollte. Aber in der Finsternis warf ich einen Stuhl um,
daß es ein entsetzliches Gepolter gab. Da wurde es auf einmal ganz still draußen. Ich lauschte hinter dem Tisch und
sah immerfort nach der Tür, als wenn ich sie mit den Augen
durchstechen wollte, daß mir ordentlich die Augen zum
Kopfe heraustanden. Als ich mich ein Weilchen wieder so
ruhig verhalten hatte, daß man die Fliegen an der Wand
hätte gehen hören, vernahm ich, wie jemand von draußen
ganz leise einen Schlüssel ins Schlüsselloch steckte. Ich wollte
nun eben mit meinem Tische losfahren, da drehte es den
Schlüssel langsam dreimal in der Tür um, zog ihn vorsichtig
wieder heraus und schnurrte dann sachte über den Gang und
die Treppe hinunter.

Ich schöpfte nun tief Atem. Oho, dachte ich, da haben sie
dich eingesperrt, damit sie's kommod haben, wenn ich erst
fest eingeschlafen bin. Ich untersuchte geschwind die Tür. Es
war richtig, sie war fest verschlossen, ebenso die andere Tür,
hinter der die hübsche bleiche Magd schlief. Das war noch
niemals geschehen, solange ich auf dem Schlosse wohnte.

Da saß ich nun in der Fremde gefangen! Die schöne Frau
stand nun wohl an ihrem Fenster und sah über den stillen

Garten nach der Landstraße hinaus, ob ich nicht schon am Zollhäuschen mit meiner Geige dahergestrichen komme, die Wolken flogen rasch über den Himmel, die Zeit verging – und ich konnte nicht fort von hier! Ach, mir war so weh im Herzen, ich wußte gar nicht mehr, was ich tun sollte. Dabei war mir's auch immer, wenn die Blätter draußen rauschten oder eine Ratte am Boden knosperte, als wäre die Alte durch eine verborgene Tapetentür heimlich hereingetreten und lauere und schleiche leise mit dem langen Messer durchs Zimmer.

Als ich so voll Sorgen auf dem Bette saß, hörte ich auf einmal seit langer Zeit wieder die Nachtmusik unter meinen Fenstern. Bei dem ersten Klange der Gitarre war es mir nicht anders, als wenn mir ein Morgenstrahl plötzlich durch die Seele führe. Ich riß das Fenster auf und rief leise herunter, daß ich wach sei. »Pst, pst!« antwortete es von unten. Ich besann mich nun nicht lange, steckte das Briefchen und meine Geige zu mir, schwang mich aus dem Fenster und kletterte an der alten zersprungenen Mauer hinab, indem ich mich mit den Händen an den Sträuchern, die aus den Ritzen wuchsen, anhielt. Aber einige morsche Ziegel gaben nach, ich kam ins Rutschen, es ging immer rascher und rascher mit mir, bis ich endlich mit beiden Füßen aufplumpte, daß mir's im Gehirnkasten knisterte.

Kaum war ich auf diese Art unten im Garten angekommen, so umarmte mich jemand mit solcher Vehemenz, daß ich laut aufschrie. Der gute Freund aber hielt mir schnell die Finger auf den Mund, faßte mich bei der Hand und führte mich dann aus dem Gesträuch ins Freie hinaus. Da erkannte ich mit Verwunderung den guten langen Studenten, der die Gitarre an einem breiten, seidenen Bande um den Hals hängen hatte. – Ich beschrieb ihm nun in größter Geschwindigkeit, daß ich aus dem Garten hinauswollte. Er schien aber das alles schon lange zu wissen und führte mich auf allerlei verdeckten Umwegen zu dem untern Tore in der hohen Gartenmauer. Aber da war nun auch das Tor wieder fest verschlossen! Doch der Student hatte auch das schon vorbedacht, er zog einen großen Schlüssel hervor und schloß behutsam auf.

Als wir nun in den Wald hinaustraten und ich ihn eben noch um den besten Weg zur nächsten Stadt fragen wollte, stürzte er plötzlich vor mir auf ein Knie nieder, hob die eine Hand hoch in die Höh', und fing an zu fluchen und an zu schwören, daß es entsetzlich anzuhören war. Ich wußte gar nicht, was er wollte, ich hörte nur immerfort: Idio und cuore und amore und furore! Als er aber am Ende gar anfing, auf beiden Knien schnell und immer näher an mich zuzurutschen, da wurde mir auf einmal ganz grauslich, ich merkte wohl, daß er verrückt war, und rannte, ohne mich umzusehen, in den dicksten Wald hinein.

Ich hörte nun den Studenten wie rasend hinter mir drein schreien. Bald darauf gab noch eine andere grobe Stimme vom Schlosse her Antwort. Ich dachte mir nun wohl, daß sie mich aufsuchen würden. Der Weg war mir unbekannt, die Nacht finster, ich konnte ihnen leicht wieder in die Hände fallen. Ich kletterte daher auf den Wipfel einer hohen Tanne hinauf, um bessere Gelegenheit abzuwarten.

Von dort konnte ich hören, wie auf dem Schlosse eine Stimme nach der andern wach wurde. Einige Windlichter zeigten sich oben und warfen ihre wilden roten Scheine über das alte Gemäuer des Schlosses und weit vom Berge in die schwarze Nacht hinein. Ich befahl meine Seele dem lieben Gott, denn das verworrene Getümmel wurde immer lauter und näherte sich immer mehr und mehr. Endlich stürzte der Student mit einer Fackel unter meinem Baume vorüber, daß ihm die Rockschöße weit im Winde nachflogen. Dann schienen sie sich alle nach und nach auf eine andere Seite des Berges hinzuwenden, die Stimmen schallten immer ferner und ferner, und der Wind rauschte wieder durch den stillen Wald. Da stieg ich schnell von dem Baume herab und lief atemlos weiter in das Tal und die Nacht hinaus.

SIEBENTES KAPITEL

Ich war Tag und Nacht eilig fortgegangen, denn es sauste mir lange in den Ohren, als kämen die von dem Berge mit ihrem Rufen, mit Fackeln und langen Messern noch immer hinter mir drein. Unterwegs erfuhr ich, daß ich nur noch ein paar Meilen von Rom wäre. Da erschrak ich ordentlich vor Freude. Denn von dem prächtigen Rom hatte ich schon zu Hause als Kind viele wunderbare Geschichten gehört, und wenn ich dann an Sonntagsnachmittagen vor der Mühle im Grase lag und alles ringsum so stille war, da dachte ich mir Rom wie die ziehenden Wolken über mir, mit wundersamen Bergen und Abgründen am blauen Meer und goldnen Toren und hohen, glänzenden Türmen, von denen Engel in goldenen Gewändern sangen. – Die Nacht war schon wieder lange hereingebrochen, und der Mond schien prächtig, als ich endlich auf einem Hügel aus dem Walde heraustrat und auf einmal die Stadt in der Ferne vor mir sah. – Das Meer leuchtete von weiten, der Himmel blitzte und funkelte unübersehbar mit unzähligen Sternen, darunter lag die heilige Stadt, von der man nur einen langen Nebelstreif erkennen konnte, wie ein eingeschlafner Löwe auf der stillen Erde, und Berge standen daneben wie dunkle Riesen, die ihn bewachten.

Ich kam nun zuerst auf eine große, einsame Heide, auf der es so grau und still war wie im Grabe. Nur hin und her stand ein altes, verfallenes Gemäuer oder ein trockener, wunderbar gewundener Strauch; manchmal schwirrten Nachtvögel durch die Luft, und mein eigener Schatten strich immerfort lang und dunkel in der Einsamkeit neben mir her. Sie sagen, daß hier eine uralte Stadt und die Frau Venus begraben liegt und die alten Heiden zuweilen noch aus ihren Gräbern heraufsteigen und bei stiller Nacht über die Heide gehn und die Wanderer verwirren. Aber ich ging immer grade fort und ließ mich nichts anfechten. Denn die Stadt stieg immer deutlicher und prächtiger vor mir herauf, und die hohen

Burgen und Tore und goldenen Kuppeln glänzten so herrlich im hellen Mondschein, als ständen wirklich die Engel in goldenen Gewändern auf den Zinnen und sängen durch die stille Nacht herüber.

5 So zog ich denn endlich, erst an kleinen Häusern vorbei, dann durch ein prächtiges Tor, in die berühmte Stadt Rom hinein. Der Mond schien zwischen den Palästen, als wäre es heller Tag, aber die Straßen waren schon alle leer, nur hin und wieder lag ein lumpiger Kerl wie ein Toter in der lauen
10 Nacht auf den Marmorschwellen und schlief. Dabei rauschten die Brunnen auf den stillen Plätzen, und die Gärten an der Straße säuselten dazwischen und erfüllten die Luft mit erquickenden Düften.

Wie ich nun eben so weiter fortschlendere und vor Vergnügen, Mondschein und Wohlgeruch gar nicht weiß, wohin
15 ich mich wenden soll, läßt sich tief aus dem einen Garten eine Gitarre hören. Mein Gott, denk ich, da ist mir wohl der tolle Student mit dem langen Überrock heimlich nachgesprungen! Darüber fing eine Dame in dem Garten an,
20 überaus lieblich zu singen. Ich stand ganz wie bezaubert, denn es war die Stimme der schönen gnädigen Frau und dasselbe welsche Liedchen, das sie gar oft zu Hause am offnen Fenster gesungen hatte.

Da fiel mir auf einmal die schöne alte Zeit mit solcher
25 Gewalt aufs Herz, daß ich bitterlich hätte weinen mögen, der stille Garten vor dem Schloß in früher Morgenstunde, und wie ich da hinter dem Strauch so glückselig war, ehe mir die dumme Fliege in die Nase flog. Ich konnte mich nicht länger halten. Ich kletterte auf den vergoldeten Zieraten
30 über das Gittertor und schwang mich in den Garten hinunter, woher der Gesang kam. Da bemerkte ich, daß eine schlanke weiße Gestalt von fern hinter einer Pappel stand und mir erst verwundert zusah, als ich über das Gitterwerk kletterte, dann aber auf einmal so schnell durch den dunklen
35 Garten nach dem Hause zuflog, daß man sie im Mondschein kaum füßeln sehen konnte. »Das war sie selbst!« rief

ich aus, und das Herz schlug mir vor Freude, denn ich erkannte sie gleich an den kleinen, geschwinden Füßchen wieder. Es war nur schlimm, daß ich mir beim Heruntersprin-
gen vom Gartentore den rechten Fuß etwas vertreten hatte,
ich mußte daher erst ein paarmal mit dem Beine schlenkern, 5
eh' ich zu dem Hause nachspringen konnte. Aber da hatten
sie unterdes Tür und Fenster fest verschlossen. Ich klopfte
ganz bescheiden an, horchte und klopfte wieder. Da war es
nicht anders, als wenn es drinnen leise flüsterte und kicherte,
ja einmal kam es mir vor, als wenn zwei helle Augen zwi- 10
schen den Jalousien im Mondschein hervorfunkelten. Dann
war auf einmal wieder alles still.

Sie weiß nur nicht, daß *ich* es bin, dachte ich, zog die
Geige, die ich allzeit bei mir trage, hervor, spazierte damit
auf dem Gange vor dem Hause auf und nieder und spielte 15
und sang das Lied von der schönen Frau und spielte voll
Vergnügen alle meine Lieder durch, die ich damals in den
schönen Sommernächten im Schloßgarten oder auf der Bank
vor dem Zollhause gespielt hatte, daß es weit bis in die Fenster des Schlosses hinüberklang. – Aber es half alles nichts, 20
es rührte und regte sich niemand im ganzen Hause. Da steckte
ich endlich meine Geige traurig ein und legte mich auf die
Schwelle vor der Haustür hin, denn ich war sehr müde von
dem langen Marsch. Die Nacht war warm, die Blumenbeete
vor dem Hause dufteten lieblich, eine Wasserkunst weiter 25
unten im Garten plätscherte immerfort dazwischen. Mir
träumte von himmelblauen Blumen, von schönen, dunkel-
grünen, einsamen Gründen, wo Quellen rauschten und Bächlein gingen und bunte Vögel wunderbar sangen, bis ich endlich fest einschlief. 30

Als ich aufwachte, rieselte mir die Morgenluft durch alle
Glieder. Die Vögel waren schon wach und zwitscherten auf
den Bäumen um mich herum, als ob sie mich für 'n Narren
haben wollten. Ich sprang rasch auf und sah mich nach allen
Seiten um. Die Wasserkunst im Garten rauschte noch immer- 35
fort, aber in dem Hause war kein Laut zu vernehmen. Ich

guckte durch die grünen Jalousien in das eine Zimmer hinein. Da war ein Sofa und ein großer runder Tisch mit grauer Leinwand verhangen, die Stühle standen alle in großer Ordnung und unverrückt an den Wänden herum; von außen aber waren die Jalousien an allen Fenstern heruntergelassen, als wäre das ganze Haus schon seit vielen Jahren unbewohnt. – Da überfiel mich ein ordentliches Grausen vor dem einsamen Hause und Garten und vor der gestrigen weißen Gestalt. Ich lief, ohne mich weiter umzusehen, durch die stillen Lauben und Gänge und kletterte geschwind wieder an dem Gartentor hinauf. Aber da blieb ich wie verzaubert sitzen, als ich auf einmal von dem hohen Gitterwerk in die prächtige Stadt hinuntersah. Da blitzte und funkelte die Morgensonne weit über die Dächer und in die langen stillen Straßen hinein, daß ich laut aufjauchzen mußte und voller Freude auf die Straße hinuntersprang.

Aber wohin sollt' ich mich wenden in der großen, fremden Stadt? Auch ging mir die konfuse Nacht und das welsche Lied der schönen gnädigen Frau von gestern noch immer im Kopfe hin und her. Ich setzte mich endlich auf den steinernen Springbrunnen, der mitten auf dem einsamen Platze stand, wusch mir in dem klaren Wasser die Augen hell und sang dazu:

> »Wenn ich ein Vöglein wär',
> Ich wüßt' wohl, wovon ich sänge,
> Und auch zwei Flüglein hätt',
> Ich wüßt' wohl, wohin ich mich schwänge!«

»Ei, lustiger Gesell, du singst ja wie eine Lerche beim ersten Morgenstrahl!« sagte da auf einmal ein junger Mann zu mir, der während meines Liedes an den Brunnen herangetreten war. Mir aber, da ich so unverhofft deutsch sprechen hörte, war es nicht anders im Herzen, als wenn die Glocke aus meinem Dorfe am stillen Sonntagsmorgen plötzlich zu mir herüberklänge. »Gott, willkommen, bester Herr

Landsmann!« rief ich aus und sprang voller Vergnügen von dem steinernen Brunnen herab. Der junge Mann lächelte und sah mich von oben bis unten an. »Aber was treibt Ihr denn eigentlich hier in Rom?« fragte er endlich. Da wußte ich nun nicht gleich, was ich sagen sollte, denn daß ich so eben der schönen gnädigen Frau nachspränge, mocht' ich ihm nicht sagen. »Ich treibe«, erwiderte ich, »mich selbst ein bißchen herum, um die Welt zu sehn.« – »So so!« versetzte der junge Mann und lachte laut auf, »da haben wir ja *ein* Metier. Das tu ich eben auch, um die Welt zu sehn und hinterdrein abzumalen.« – »Also ein Maler!« rief ich fröhlich aus, denn mir fiel dabei Herr Leonhard und Guido ein. Aber der Herr ließ mich nicht zu Worte kommen. »Ich denke«, sagte er, »du gehst mit und frühstückst bei mir, da will ich dich selbst abkonterfeien, daß es eine Freude sein soll!« – Das ließ ich mir gern gefallen und wanderte nun mit dem Maler durch die leeren Straßen, wo nur hin und wieder erst einige Fensterladen aufgemacht wurden und bald ein paar weiße Arme, bald ein verschlafnes Gesichtchen in die frische Morgenluft hinausguckte.

Er führte mich lange hin und her durch eine Menge konfuser, enger und dunkler Gassen, bis wir endlich in ein altes, verräuchertes Haus hineinwuschten. Dort stiegen wir eine finstre Treppe hinauf, dann wieder eine, als wenn wir in den Himmel hineinsteigen wollten. Wir standen nun unter dem Dache vor einer Tür still, und der Maler fing an, in allen Taschen vorn und hinten mit großer Eilfertigkeit zu suchen. Aber er hatte heute früh vergessen zuzuschließen und den Schlüssel in der Stube gelassen. Denn er war, wie er mir unterweges erzählte, noch vor Tagesanbruch vor die Stadt hinausgegangen, um die Gegend bei Sonnenaufgang zu betrachten. Er schüttelte nur mit dem Kopfe und stieß die Türe mit dem Fuße auf.

Das war eine lange, lange, große Stube, daß man darin hätte tanzen können, wenn nur nicht auf dem Fußboden alles vollgelegen hätte. Aber da lagen Stiefeln, Papiere, Klei-

der, umgeworfene Farbentöpfe, alles durcheinander; in der
Mitte der Stube standen große Gerüste, wie man zum Bir-
nenabnehmen braucht, ringsum an der Wand waren große
Bilder angelehnt. Auf einem langen, hölzernen Tische war
5 eine Schüssel, worauf, neben einem Farbenkleckse, Brot und
Butter lag. Eine Flasche Wein stand daneben.

»Nun eßt und trinkt erst, Landsmann!« rief mir der
Maler zu. – Ich wollte mir auch sogleich ein paar Butterschnitten schmieren, aber da war wieder kein Messer da. Wir
10 mußten erst lange in den Papieren auf dem Tische herum-
rascheln, ehe wir es unter einem großen Pakete endlich fanden. Darauf riß der Maler das Fenster auf, daß die frische
Morgenluft fröhlich das ganze Zimmer durchdrang. Das
war eine herrliche Aussicht weit über die Stadt weg in die
15 Berge hinein, wo die Morgensonne lustig die weißen Land-
häuser und Weingärten beschien. – »Vivat unser kühlgrü-
nes Deutschland da hinter den Bergen!« rief der Maler aus
und trank dazu aus der Weinflasche, die er mir dann hin-
reichte. Ich tat ihm höflich Bescheid und grüßte in meinem
20 Herzen die schöne Heimat in der Ferne noch vieltausendmal.

Der Maler aber hatte unterdes das hölzerne Gerüst, worauf ein sehr großes Papier aufgespannt war, näher an das
Fenster herangerückt. Auf dem Papiere war bloß mit gro-
25 ßen, schwarzen Strichen eine alte Hütte gar künstlich ab-
gezeichnet. Darin saß die heilige Jungfrau mit einem überaus schönen, freudigen und doch recht wehmütigen Gesichte.
Zu ihren Füßen auf einem Nestlein von Stroh lag das Je-
suskind, sehr freundlich, aber mit großen ernsthaften
30 Augen. Draußen auf der Schwelle der offnen Hütte aber
knieten zwei Hirtenknaben mit Stab und Tasche. – »Siehst
du«, sagte der Maler, »dem einen Hirtenknaben da will ich
deinen Kopf aufsetzen, so kommt dein Gesicht doch auch
etwas unter die Leute, und will's Gott, sollen sie sich dar-
35 an noch erfreuen, wenn wir beide schon lange begraben sind
und selbst so still und fröhlich vor der heiligen Mutter und

ihrem Sohne knien wie die glücklichen Jungen hier.« –
Darauf ergriff er einen alten Stuhl, von dem ihm aber, da
er ihn aufheben wollte, die halbe Lehne in der Hand blieb.
Er paßte ihn geschwind wieder zusammen, schob ihn vor
das Gerüst hin, und ich mußte mich nun darauf setzen und   5
mein Gesicht etwas von der Seite, nach dem Maler zu, wenden. – So saß ich ein paar Minuten ganz still, ohne mich zu
rühren. Aber ich weiß nicht, zuletzt konnt' ich's gar nicht
recht aushalten, bald juckte mich's da, bald juckte mich's
dort. Auch hing mir grade gegenüber ein zerbrochner halber 10
Spiegel, da mußt ich immerfort hineinsehn und machte, wenn
er eben malte, aus Langeweile allerlei Gesichter und Grimassen. Der Maler, der es bemerkte, lachte endlich laut auf
und winkte mir mit der Hand, daß ich wieder aufstehen
sollte. Mein Gesicht auf dem Hirten war auch schon fertig   15
und sah so klar aus, daß ich mir ordentlich selber gefiel.
   Er zeichnete nun in der frischen Morgenkühle immer fleißig fort, während er ein Liedchen dazu sang und zuweilen
durch das offne Fenster in die prächtige Gegend hinaus-
blickte. Ich aber schnitt mir unterdes noch eine Butterstolle 20
und ging damit vergnügt im Zimmer auf und ab und besah
mir die Bilder, die an der Wand aufgestellt waren. Zwei
darunter gefielen mir ganz besonders gut. »Habt Ihr die auch
gemalt?« frug ich den Maler. »Warum nicht gar!« erwiderte er, »die sind von den berühmten Meistern Leonardo   25
da Vinci und Guido Reni – aber da weißt du ja doch nichts
davon!« – Mich ärgerte der Schluß der Rede. »Oh«, versetzte ich ganz gelassen, »die beiden Meister kenne ich wie
meine eigne Tasche.« – Da machte er große Augen. »Wie-
so?« frug er geschwind. »Nun«, sagte ich, »bin ich nicht   30
mit ihnen Tag und Nacht fortgereist, zu Pferde und zu Fuß
und zu Wagen, daß mir der Wind am Hute pfiff, und hab
sie alle beide in der Schenke verloren und bin dann allein in
ihrem Wagen mit Extrapost immer weiter gefahren, daß der
Bombenwagen immerfort auf zwei Rädern über die entsetz-   35
lichen Steine flog, und« – »Oho! Oho!« unterbrach mich

der Maler und sah mich starr an, als wenn er mich für verrückt hielte. Dann aber brach er plötzlich in ein lautes Gelächter aus. »Ach«, rief er, »nun versteh ich erst, du bist
mit zwei Malern gereist, die Guido und Leonhard hießen?«
5 – Da ich das bejahte, sprang er rasch auf und sah mich
nochmals von oben bis unten ganz genau an. »Ich glaube
gar«, sagte er, »am Ende – spielst du die Violine?« – Ich
schlug auf meine Rocktasche, daß die Geige darin einen
Klang gab. – »Nun wahrhaftig«, versetzte der Maler, »da
10 war eine Gräfin aus Deutschland hier, die hat sich in allen
Winkeln von Rom nach den beiden Malern und nach einem
jungen Musikanten mit der Geige erkundigen lassen.« –
»Eine junge Gräfin aus Deutschland?« rief ich voller Entzücken aus, »ist der Portier mit?« – »Ja das weiß ich
15 alles nicht«, erwiderte der Maler, »ich sah sie nur einige
Male bei einer Freundin von ihr, die aber auch nicht in der
Stadt wohnt. – Kennst du die?« fuhr er fort, indem er in
einem Winkel plötzlich eine Leinwanddecke von einem großen Bilde in die Höhe hob. Da war mir's doch nicht an-
20 ders, als wenn man in einer finstern Stube die Lade auf-
macht und einem die Morgensonne auf einmal über die
Augen blitzt, es war – die schöne gnädige Frau! – sie stand
in einem schwarzen Samtkleide im Garten und hob mit der
einen Hand den Schleier vom Gesicht und sah still und
25 freundlich in eine weite prächtige Gegend hinaus. Je länger ich
hinsah, je mehr kam es mir vor, als wäre es der Garten am
Schlosse, und die Blumen und Zweige wiegten sich leise im
Winde, und unten in der Tiefe sähe ich mein Zollhäuschen
und die Landstraße weit durchs Grüne und die Donau und
30 die fernen blauen Berge.

»Sie ist's, sie ist's!« rief ich endlich, erwischte meinen
Hut und rannte rasch zur Tür hinaus, die vielen Treppen
hinunter und hörte nur noch, daß mir der verwunderte Maler nachschrie, ich sollte gegen Abend wiederkommen, da
35 könnten wir vielleicht mehr erfahren!

ACHTES KAPITEL

Ich lief mit großer Eilfertigkeit durch die Stadt, um mich sogleich wieder in dem Gartenhause zu melden, wo die schöne Frau gestern abend gesungen hatte. Auf den Straßen war unterdes alles lebendig geworden, Herren und Damen zogen im Sonnenschein und neigten sich und grüßten bunt durcheinander, prächtige Karossen rasselten dazwischen, und von allen Türmen läutete es zur Messe, daß die Klänge über dem Gewühle wunderbar in der klaren Luft durcheinander hallten. Ich war wie betrunken von Freude und von dem Rumor und rannte in meiner Fröhlichkeit immer grade fort, bis ich zuletzt gar nicht mehr wußte, wo ich stand. Es war wie verzaubert, als wäre der stille Platz mit dem Brunnen und der Garten und das Haus bloß ein Traum gewesen und beim hellen Tageslicht alles wieder von der Erde verschwunden.

Fragen konnte ich nicht, denn ich wußte den Namen des Platzes nicht. Endlich fing es auch an, sehr schwül zu werden, die Sonnenstrahlen schossen recht wie sengende Pfeile auf das Pflaster, die Leute verkrochen sich in die Häuser, die Jalousien wurden überall wieder zugemacht, und es war auf einmal wie ausgestorben auf den Straßen. Ich warf mich zuletzt ganz verzweifelt vor einem großen, schönen Hause hin, vor dem ein Balkon mit Säulen breiten Schatten warf, und betrachtete bald die stille Stadt, die in der plötzlichen Einsamkeit bei heller Mittagstunde ordentlich schauerlich aussah, bald wieder den tiefblauen, ganz wolkenlosen Himmel, bis ich endlich vor großer Ermüdung gar einschlummerte. Da träumte mir, ich läge bei meinem Dorfe auf einer einsamen grünen Wiese, ein warmer Sommerregen sprühte und glänzte in der Sonne, die soeben hinter den Bergen unterging, und wie die Regentropfen auf den Rasen fielen, waren es lauter schöne bunte Blumen, so daß ich davon ganz überschüttet war.

Aber wie erstaunte ich, als ich erwachte und wirklich eine

Menge schöner frischer Blumen auf und neben mir liegen
sah! Ich sprang auf, konnte aber nichts Besonderes bemer-
ken, als bloß in dem Hause über mir ein Fenster ganz oben
voll von duftenden Sträuchen und Blumen, hinter denen ein
5 Papagei unablässig plauderte und kreischte. Ich las nun die
zerstreuten Blumen auf, band sie zusammen und steckte mir
den Strauß vorn ins Knopfloch. Dann aber fing ich an, mit
dem Papagei ein wenig zu diskurrieren, denn es freute mich,
wie er in seinem vergoldeten Gebauer mit allerlei Grimassen
10 herauf und herunter stieg und sich dabei immer ungeschickt
über die große Zehe trat. Doch ehe ich mich's versah,
schimpfte er mich »furfante!«. Wenn es gleich eine unvernünftige Bestie war, so ärgerte es mich doch. Ich schimpfte
ihn wieder, wir gerieten endlich beide in Hitze, je mehr ich
15 auf deutsch schimpfte, je mehr gurgelte er auf italienisch
wieder auf mich los.

Auf einmal hörte ich jemanden hinter mir lachen. Ich
drehte mich rasch um. Es war der Maler von heute früh.
»Was stellst du wieder für tolles Zeug an!« sagte er, »ich
20 warte schon eine halbe Stunde auf dich. Die Luft ist wieder
kühler, wir wollen in einen Garten vor der Stadt gehen, da
wirst du mehrere Landsleute finden und vielleicht etwas
Näheres von der deutschen Gräfin erfahren.«

Darüber war ich außerordentlich erfreut, und wir traten
25 unsern Spaziergang sogleich an, während ich den Papagei
noch lange hinter mir drein schimpfen hörte.

Nachdem wir draußen vor der Stadt auf schmalen steinigten Fußsteigen lange zwischen Landhäusern und Weingärten hinaufgestiegen waren, kamen wir an einen kleinen,
30 hochgelegenen Garten, wo mehrere junge Männer und
Mädchen im Grünen um einen runden Tisch saßen. Sobald
wir hineintraten, winkten uns alle zu, uns still zu verhalten,
und zeigten auf die andere Seite des Gartens hin. Dort saßen in einer großen, grünverwachsenen Laube zwei schöne
35 Frauen an einem Tisch einander gegenüber. Die eine sang,
die andere spielte Gitarre dazu. Zwischen beiden hinter dem

Tische stand ein freundlicher Mann, der mit einem kleinen Stäbchen zuweilen den Takt schlug. Dabei funkelte die Abendsonne durch das Weinlaub, bald über die Weinflaschen und Früchte, womit der Tisch in der Laube besetzt war, bald über die vollen, runden, blendendweißen Achseln der Frau mit der Gitarre. Die andere war wie verzückt und sang auf italienisch ganz außerordentlich künstlich, daß ihr die Flechsen am Halse aufschwollen.

Wie sie nun soeben, mit zum Himmel gerichteten Augen, eine lange Kadenz anhielt und der Mann neben ihr mit aufgehobenem Stäbchen auf den Augenblick paßte, wo sie wieder in den Takt einfallen würde, und keiner im ganzen Garten zu atmen sich unterstand, da flog plötzlich die Gartentüre weit auf, und ein ganz erhitztes Mädchen und hinter ihr ein junger Mensch mit einem feinen, bleichen Gesicht stürzten in großem Gezänke herein. Der erschrockene Musikdirektor blieb mit seinem aufgehobenen Stabe wie ein versteinerter Zauberer stehen, obgleich die Sängerin schon längst den langen Triller plötzlich abgeschnappt hatte und zornig aufgestanden war. Alle übrigen zischten den Neuangekommenen wütend an. »Barbar!« rief ihm einer von dem runden Tische zu, »du rennst da mitten in das sinnreiche Tableau von der schönen Beschreibung hinein, welche der selige Hoffmann, Seite 347 des ›Frauentaschenbuchs für 1816‹, von dem schönsten Hummelschen Bilde gibt, das im Herbst 1814 auf der Berliner Kunstausstellung zu sehen war!« – Aber das half alles nichts. »Ach was!« entgegnete der junge Mann, »mit euren Tableaus von Tableaus! Mein selbsterfundenes Bild für die andern und mein Mädchen für mich allein! So will ich es halten! O du Ungetreue, du Falsche!« fuhr er dann von neuem gegen das arme Mädchen fort, »du kritische Seele, die in der Malerkunst nur den Silberblick und in der Dichtkunst nur den goldenen Faden sucht und keinen Liebsten, sondern nur lauter Schätze hat! Ich wünsche dir hinfüro, anstatt eines ehrlichen malerischen Pinsels, einen alten Duca mit einer ganzen Münzgrube von Diamanten

auf der Nase und mit hellem Silberblick auf der kahlen
Platte und mit Goldschnitt auf den paar noch übrigen Haaren! Ja, nur heraus mit dem verruchten Zettel, den du da
vorhin vor mir versteckt hast! Was hast du wieder angezet-
telt? Von wem ist der Wisch, und an wen ist er?«

Aber das Mädchen sträubte sich standhaft, und je eifriger
die anderen den erbosten jungen Menschen umgaben und ihn
mit großem Lärm zu trösten und zu beruhigen suchten,
desto erhitzter und toller wurde er von dem Rumor, zumal
da das Mädchen auch ihr Mäulchen nicht halten konnte, bis
sie endlich weinend aus dem verworrenen Knäuel hervor-
flog und sich auf einmal ganz unverhofft an meine Brust
stürzte, um bei mir Schutz zu suchen. Ich stellte mich auch
sogleich in die gehörige Positur, aber da die andern in dem
Getümmel soeben nicht auf uns acht gaben, kehrte sie plötzlich das Köpfchen nach mir herauf und flüsterte mir mit
ganz ruhigem Gesicht sehr leise und schnell ins Ohr: »Du
abscheulicher Einnehmer! um dich muß ich das alles leiden.
Da steck den fatalen Zettel geschwind zu dir, du findest
darauf bemerkt, wo wir wohnen. Also zur bestimmten
Stunde, wenn du ins Tor kommst, immer die einsame Straße
rechts fort!« –

Ich konnte vor Verwunderung kein Wort hervorbringen,
denn wie ich sie nun erst recht ansah, erkannte ich sie auf
einmal: es war wahrhaftig die schnippische Kammerjungfer
vom Schloß, die mir damals an dem schönen Samstagsabende
die Flasche mit Wein brachte. Sie war mir sonst niemals so
schön vorgekommen, als da sie sich jetzt so erhitzt an mich
lehnte, daß die schwarzen Locken über meinen Arm herabhingen. – »Aber, verehrteste Mamsell«, sagte ich voller Erstaunen, »wie kommen Sie –« »Um Gottes willen, still nur,
jetzt still!« erwiderte sie und sprang geschwind von mir fort
auf die andere Seite des Gartens, eh' ich mich noch auf alles
recht besinnen konnte.

Unterdes hatten die andern ihr erstes Thema fast ganz
vergessen, zankten aber untereinander recht vergnüglich

weiter, indem sie dem jungen Menschen beweisen wollten, daß er eigentlich betrunken sei, was sich für einen ehrlieben- den Maler gar nicht schicke. Der runde, fixe Mann aus der Laube, der – wie ich nachher erfuhr – ein großer Kenner und Freund von Künsten war und aus Liebe zu den Wissen- schaften gern alles mitmachte, hatte auch sein Stäbchen weg- geworfen und flanierte mit seinem fetten Gesicht, das vor Freundlichkeit ordentlich glänzte, eifrig mitten in dem dick- sten Getümmel herum, um alles zu vermitteln und zu be- schwichtigen, während er dazwischen immer wieder die lange Kadenz und das schöne Tableau bedauerte, das er mit vieler Mühe zusammengebracht hatte.

Mir aber war es so sternklar im Herzen wie damals an dem glückseligen Sonnabend, als ich am offnen Fenster vor der Weinflasche bis tief in die Nacht hinein auf der Geige spielte. Ich holte, da der Rumor gar kein Ende nehmen wollte, frisch meine Violine wieder hervor und spielte, ohne mich lange zu besinnen, einen welschen Tanz auf, den sie dort im Gebirge tanzen und den ich auf dem alten, einsamen Waldschlosse gelernt hatte.

Da reckten sie alle die Köpfe in die Höh'. »Bravo, bravis- simo! ein deliziöser Einfall!« rief der lustige Kenner von den Künsten und lief sogleich von einem zum andern, um ein ländliches Divertissement, wie er's nannte, einzurichten. Er selbst machte den Anfang, indem er der Dame die Hand reichte, die vorhin in der Laube Gitarre gespielt hatte. Er begann darauf, außerordentlich künstlich zu tanzen, schrieb mit den Fußspitzen allerlei Buchstaben auf den Rasen, schlug ordentliche Triller mit den Füßen und machte von Zeit zu Zeit ganz passable Luftsprünge. Aber er bekam es bald satt, denn er war etwas korpulent. Er machte immer kürzere und ungeschicktere Sprünge, bis er endlich ganz aus dem Kreise heraustrat und heftig pustete und sich mit sei- nem schneeweißen Schnupftuch unaufhörlich den Schweiß abwischte. Unterdes hatte auch der junge Mensch, der nun wieder ganz gescheut geworden war, aus dem Wirtshause

Kastagnetten herbeigeholt, und ehe ich mich's versah, tanzten
alle unter den Bäumen bunt durcheinander. Die untergegan-
gene Sonne warf noch einige rote Widerscheine zwischen die
dunklen Schatten und über das alte Gemäuer und die von
5 Efeu wild überwachsenen, halb versunkenen Säulen hinten
im Garten, während man von der andern Seite tief unter
den Weinbergen die Stadt Rom in den Abendgluten liegen
sah. Da tanzten sie alle lieblich im Grünen in der klaren
stillen Luft, und mir lachte das Herz recht im Leibe, wie die
10 schlanken Mädchen, und die Kammerjungfer mitten unter
ihnen, sich so mit aufgehobenen Armen wie heidnische Wald-
nymphen zwischen dem Laubwerk schwangen und dabei
jedesmal in der Luft mit den Kastagnetten lustig dazu
schnalzten. Ich konnte mich nicht länger halten, ich sprang
15 mitten unter sie hinein und machte, während ich dabei
immerfort geigte, recht artige Figuren.

Ich mochte eine ziemliche Weile so im Kreise herumgesprungen sein und merkte gar nicht, daß die andern unterdes anfingen müde zu werden und sich nach und nach von
20 dem Rasenplatze verloren. Da zupfte mich jemand von hinten tüchtig an den Rockschößen. Es war die Kammerjungfer. »Sei kein Narr«, sagte sie leise, »du springst ja wie ein
Ziegenbock! Studiere deinen Zettel ordentlich und komm
bald nach, die schöne junge Gräfin wartet.« – Und damit
25 schlüpfte sie in der Dämmerung zur Gartenpforte hinaus
und war bald zwischen den Weingärten verschwunden.

Mir klopfte das Herz, ich wäre am liebsten gleich nachgesprungen. Zum Glück zündete der Kellner, da es schon
dunkel geworden war, in einer großen Laterne an der Gar-
30 tentür Licht an. Ich trat heran und zog geschwind den Zettel
heraus. Da war ziemlich kritzlich mit Bleifeder das Tor und
die Straße beschrieben, wie mir die Kammerjungfer vorhin
gesagt hatte. Dann stand: »Elf Uhr an der kleinen Türe.« –

Da waren noch ein paar lange Stunden hin! – Ich wollte
35 mich demungeachtet sogleich auf den Weg machen, denn ich
hatte keine Rast und Ruhe mehr; aber da kam der Maler,

73

der mich hierher gebracht hatte, auf mich los »Hast du das
Mädchen gesprochen?« fiug er, »ich seh sie nun nirgends
mehr; das war das Kammermädchen von der deutschen Gräfin.« »Still, still!« erwiderte ich, »die Gräfin ist noch in
Rom.« »Nun, desto besser«, sagte der Maler, »so komm und 5
trink mit uns auf ihre Gesundheit!«, und damit zog er mich,
wie sehr ich mich auch sträubte, in den Garten zurück.

Da war es unterdes ganz öde und leer geworden. Die
lustigen Gäste wanderten, jeder sein Liebchen am Arm, nach
der Stadt zu, und man hörte sie noch durch den stillen Abend 10
zwischen den Weingärten plaudern und lachen, immer ferner und ferner, bis sich endlich die Stimmen tief in dem
Tale im Rauschen der Bäume und des Stromes verloren. Ich
war nur noch mit meinem Maler und dem Herrn Eckbrecht
– so hieß der andre junge Maler, der sich vorhin so herum- 15
gezankt hatte – allein oben zurückgeblieben. Der Mond
schien prächtig im Garten zwischen die hohen dunklen
Bäume herein, ein Licht flackerte im Winde auf dem Tische
vor uns und schimmerte über den vielen vergoßnen Wein
auf der Tafel. Ich mußte mich mit hinsetzen, und mein Ma- 20
ler plauderte mit mir über meine Herkunft, meine Reise
und meinen Lebensplan. Herr Eckbrecht aber hatte das
junge hübsche Mädchen aus dem Wirtshause, nachdem sie
uns Flaschen auf den Tisch gestellt, vor sich auf den Schoß
genommen, legte ihr die Gitarre in den Arm und lehrte sie 25
ein Liedchen darauf klimpern. Sie fand sich auch bald mit
den kleinen Händchen zurecht, und sie sangen dann zusammen ein italienisches Lied, einmal er, dann wieder das Mädchen eine Strophe, was sich in dem schönen stillen Abend
prächtig ausnahm. – Als das Mädchen dann weggerufen 30
wurde, lehnte sich Herr Eckbrecht mit der Gitarre auf der
Bank zurück, legte seine Füße auf einen Stuhl, der vor ihm
stand, und sang nun für sich allein viele herrliche deutsche
und italienische Lieder, ohne sich weiter um uns zu beküm-
mern. Dabei schienen die Sterne prächtig am klaren Firma- 35
ment, die ganze Gegend war wie versilbert vom Mondschein,

74

ich dachte an die schöne Fraue, an die ferne Heimat und vergaß darüber ganz meinen Maler neben mir. Zuweilen mußte Herr Eckbrecht stimmen, darüber wurde er immer ganz zornig. Er drehte und riß zuletzt an dem Instrument,
5 daß plötzlich eine Saite sprang. Da warf er die Gitarre hin und sprang auf. Nun wurde er erst gewahr, daß mein Maler sich unterdes über seinen Arm auf den Tisch gelegt hatte und fest eingeschlafen war. Er warf schnell einen weißen Mantel um, der auf einem Aste neben dem Tische hing, be-
10 sann sich aber plötzlich, sah erst meinen Maler, dann mich ein paarmal scharf an, setzte sich darauf, ohne sich lange zu bedenken, grade vor mich auf den Tisch hin, räusperte sich, rückte an seiner Halsbinde und fing dann auf einmal an, eine Rede an mich zu halten. »Geliebter Zuhörer und
15 Landsmann!« sagte er, »da die Flaschen beinah leer sind und da die Moral unstreitig die erste Bürgerpflicht ist, wenn die Tugenden auf die Neige gehen, so fühle ich mich aus landsmännlicher Sympathie getrieben, dir einige Moralität zu Gemüte zu führen. – Man könnte zwar meinen«, fuhr er fort,
20 »du seist ein bloßer Jüngling, während doch dein Frack über seine besten Jahre hinaus ist; man könnte vielleicht annehmen, du habest vorhin wunderliche Sprünge gemacht wie ein Satyr; ja, einige möchten wohl behaupten, du seiest wohl gar ein Landstreicher, weil du hier auf dem Lande bist und
25 die Geige streichst; aber ich kehre mich an solche oberflächliche Urteile nicht, ich halte mich an deine feingespitzte Nase, ich halte dich für ein vazierendes Genie.« – Mich ärgerten die verfänglichen Redensarten, ich wollte ihm soeben recht antworten. Aber er ließ mich nicht zu Worte kommen.
30 »Siehst du«, sagte er, »wie du dich schon aufblähst von dem bißchen Lobe. Gehe in dich und bedenke dieses gefährliche Metier! Wir Genies – denn ich bin auch eins – machen uns aus der Welt ebensowenig als sie sich aus uns, wir schreiten vielmehr ohne besondere Umstände in unsern Siebenmeilen-
35 stiefeln, die wir bald mit auf die Welt bringen, grade auf die Ewigkeit los. O höchst klägliche, unbequeme, breit-

gespreizte Position, mit dem einen Beine in der Zukunft, wo
nichts als Morgenrot und zukünftige Kindergesichter dazwischen, mit dem andern Beine noch mitten in Rom auf der
Piazza del Popolo, wo das ganze Säkulum bei der guten
Gelegenheit mit will und sich an den Stiefel hängt, daß sie 5
einem das Bein ausreißen möchte! Und alle das Zucken,
Weintrinken und Hungerleiden lediglich für die unsterbliche
Ewigkeit! Und siehe meinen Herrn Kollegen dort auf der
Bank, der gleichfalls ein Genie ist; ihm wird die *Zeit* schon
zu lang, was wird er erst in der Ewigkeit anfangen?! Ja, 10
hochgeschätzter Herr Kollege, du und ich und die Sonne,
wir sind heute früh zusammen aufgegangen und haben den
ganzen Tag gebrütet und gemalt, und es war alles schön –
und nun fährt die schläfrige Nacht mit ihrem Pelzärmel über
die Welt und hat alle Farben verwischt.« Er sprach noch 15
immer fort und war dabei mit seinen verwirrten Haaren
von dem Tanzen und Trinken im Mondschein ganz leichen-
blaß anzusehen.

   Mir aber graute schon lange vor ihm und seinem wilden
Gerede, und als er sich nun förmlich zu dem schlafenden Ma- 20
ler herumwandte, benutzte ich die Gelegenheit, schlich, ohne
daß er es bemerkte, um den Tisch, aus dem Garten heraus
und stieg, allein und fröhlich im Herzen, an dem Rebenge-
länder in das weite, vom Mondschein beglänzte Tal hinunter.

   Von der Stadt her schlugen die Uhren zehn. Hinter mir 25
hörte ich durch die stille Nacht noch einzelne Gitarrenklänge
und manchmal die Stimmen der beiden Maler, die nun auch
nach Hause gingen, von ferne herüberschallen. Ich lief daher so schnell, als ich nur konnte, damit sie mich nicht weiter
ausfragen sollten. 30

   Am Tore bog ich sogleich rechts in die Straße ein und ging
mit klopfendem Herzen eilig zwischen den stillen Häusern
und Gärten fort. Aber wie erstaunte ich, als ich da auf einmal auf dem Platze mit dem Springbrunnen herauskam, den
ich heute am Tage gar nicht hatte finden können. Da stand 35
das einsame Gartenhaus wieder, im prächtigsten Mond-

schein, und auch die schöne Fraue sang im Garten wieder dasselbe italienische Lied wie gestern abend. – Ich rannte voller Entzücken erst an die kleine Tür, dann an die Haustür und endlich mit aller Gewalt an das große Gartentor,

5 aber es war alles verschlossen. Nun fiel mir erst ein, daß es noch nicht elf geschlagen hatte. Ich ärgerte mich über die langsame Zeit, aber über das Gartentor klettern wie gestern mochte ich wegen der guten Lebensart nicht. Ich ging daher ein Weilchen auf dem einsamen Platze auf und ab und setzte

10 mich endlich wieder auf den steinernen Brunnen voll Gedanken und stiller Erwartung hin.

Die Sterne funkelten am Himmel, auf dem Platze war alles leer und still, ich hörte voll Vergnügen dem Gesange der schönen Frau zu, der zwischen dem Rauschen des Brun-

15 nens aus dem Garten herüberklang. Da erblickt ich auf einmal eine weiße Gestalt, die von der andern Seite des Platzes herkam und grade auf die kleine Gartentür zuging. Ich blickte durch den Mondflimmer recht scharf hin – es war der wilde Maler in seinem weißen Mantel. Er zog schnell

20 einen Schlüssel hervor, schloß auf, und ehe ich mich's versah, war er im Garten drin.

Nun hatte ich gegen den Maler schon von Anfang eine absonderliche Pike wegen seiner unvernünftigen Reden. Jetzt aber geriet ich ganz außer mir vor Zorn. Das lieder-

25 liche Genie ist gewiß wieder betrunken, dacht ich, den Schlüssel hat er von der Kammerjungfer und will nun die gnädige Frau beschleichen, verraten, überfallen. – Und so stürzte ich durch das kleine, offengebliebene Pförtchen in den Garten hinein.

30 Als ich eintrat, war es ganz still und einsam darin. Die Flügeltür vom Gartenhause stand offen, ein milchweißer Lichtschein drang daraus hervor und spielte auf dem Grase und den Blumen vor der Tür. Ich blickte von weitem herein. Da lag in einem prächtigen grünen Gemach, das von einer

35 weißen Lampe nur wenig erhellt war, die schöne gnädige Frau, mit der Gitarre im Arm, auf einem seidenen Faulbett-

chen, ohne in ihrer Unschuld an die Gefahren draußen zu denken.

Ich hatte aber nicht lange Zeit hinzusehen, denn ich bemerkte soeben, daß die weiße Gestalt von der andern Seite ganz behutsam hinter den Sträuchern nach dem Gartenhause zuschlich. Dabei sang die gnädige Frau so kläglich aus dem Hause, daß es mir recht durch Mark und Bein ging. Ich besann mich daher nicht lange, brach einen tüchtigen Ast ab, rannte damit gerade auf den Weißmantel los, und schrie aus vollem Halse »Mordio!«, daß der ganze Garten erzitterte.

Der Maler, wie er mich so unverhofft daherkommen sah, nahm schnell Reißaus und schrie entsetzlich. Ich schrie noch besser, er lief nach dem Hause zu, ich ihm nach – und ich hätt' ihn beinah schon erwischt, da verwickelte ich mich mit den Füßen in den fatalen Blumenstücken und stürzte auf einmal der Länge nach vor der Haustür hin.

»Also du bist es, Narr!« hört' ich da über mir ausrufen, »hast du mich doch fast zum Tode erschreckt!« – Ich raffte mich geschwind wieder auf, und wie ich mir den Sand und die Erde aus den Augen wische, steht die Kammerjungfer vor mir, die soeben bei dem letzten Sprunge den weißen Mantel von der Schulter verloren hatte. »Aber«, sagte ich ganz verblüfft, »war denn der Maler nicht hier?« – »Ja freilich«, entgegnete sie schnippisch, »sein Mantel wenigstens, den er mir, als ich ihm vorhin im Tor begegnete, umgehangen hat, weil mich fror.« – Über dem Geplauder war nun auch die gnädige Frau von ihrem Sofa aufgesprungen und kam zu uns an die Tür. Mir klopfte das Herz zum Zerspringen. Aber wie erschrak ich, als ich recht hinsah und, anstatt der schönen gnädigen Frau, auf einmal eine ganz fremde Person erblickte!

Es war eine etwas große, korpulente, mächtige Dame mit einer stolzen Adlernase und hochgewölbten schwarzen Augenbrauen, so recht zum Erschrecken schön. Sie sah mich mit ihren großen funkelnden Augen so majestätisch an, daß ich mich vor Ehrfurcht gar nicht zu lassen wußte. Ich war

78

ganz verwirrt, ich machte in einem fort Komplimente und wollte ihr zuletzt gar die Hand küssen. Aber sie riß ihre Hand schnell weg und sprach dann auf italienisch zu der Kammerjungfer, wovon ich nichts verstand.

5 Unterdes aber war von dem vorigen Geschrei die ganze Nachbarschaft lebendig geworden. Hunde bellten, Kinder schrien, zwischendurch hörte man einige Männerstimmen, die immer näher und näher auf den Garten zukamen. Da blickte mich die Dame noch einmal an, als wenn sie mich mit feuri-
10 gen Kugeln durchbohren wollte, wandte sich dann rasch nach dem Zimmer zurück, während sie dabei stolz und gezwungen auflachte, und schmiß mir die Türe vor der Nase zu. Die Kammerjungfer aber erwischte mich ohne weiteres beim Flügel und zerrte mich nach der Gartenpforte.

15 »Da hast du wieder einmal recht dummes Zeug gemacht«, sagte sie unterweges voller Bosheit zu mir. Ich wurde auch schon giftig. »Nun zum Teufel!« sagte ich, »habt Ihr mich denn nicht selbst hierher bestellt?« – »Das ist's ja eben«, rief die Kammerjungfer, »meine Gräfin meinte es so gut
20 mit dir, wirft dir erst Blumen aus dem Fenster zu, singt Arien – und *das* ist nun ihr Lohn! Aber mit dir ist nun einmal nichts anzufangen, du trittst dein Glück ordentlich mit Füßen.« – »Aber«, erwiderte ich, »ich meinte die Gräfin aus Deutschland, die schöne gnädige Frau« – »Ach«, unter-
25 brach sie mich, »die ist ja lange schon wieder in Deutschland, mitsamt deiner tollen Amour. Und da lauf du nur auch wieder hin! Sie schmachtet ohnedies nach dir, da könnt ihr zusammen die Geige spielen und in den Mond gucken, aber daß du mir nicht wieder unter die Augen kommst!«

30 Nun aber entstand ein entsetzlicher Rumor und Spektakel hinter uns. Aus dem anderen Garten kletterten Leute mit Knüppeln hastig über den Zaun, andere fluchten und durchsuchten schon die Gänge, desperate Gesichter mit Schlafmützen guckten im Mondschein bald da, bald dort über die Hek-
35 ken, es war, als wenn der Teufel auf einmal aus allen Hekken und Sträuchern Gesindel heckte. – Die Kammerjungfer

fackelte nicht lange. »Dort, dort läuft der Dieb!« schrie sie den Leuten zu, indem sie dabei auf die andere Seite des Gartens zeigte. Dann schob sie mich schnell aus dem Garten, und klappte das Pförtchen hinter mir zu.

Da stand ich nun unter Gottes freiem Himmel wieder auf dem stillen Platze mutterseelenallein, wie ich gestern angekommen war. Die Wasserkunst, die mir vorhin im Mondschein so lustig flimmerte, als wenn Englein darin auf und nieder stiegen, rauschte noch fort wie damals, mir aber war unterdes alle Lust und Freude in den Brunn gefallen. – Ich nahm mir nun fest vor, dem falschen Italien mit seinen verrückten Malern, Pomeranzen und Kammerjungfern auf ewig den Rücken zu kehren, und wanderte noch zur selbigen Stunde zum Tore hinaus.

NEUNTES KAPITEL

»Die treuen Berg' stehn auf der Wacht:
›Wer streicht bei stiller Morgenzeit
Da aus der Fremde durch die Heid'?‹ –
Ich aber mir die Berg' betracht
Und lach in mich vor großer Lust
Und rufe recht aus frischer Brust
Parol' und Feldgeschrei sogleich:
Vivat Östreich!

Da kennt mich erst die ganze Rund',
Nun grüßen Bach und Vöglein zart
Und Wälder rings nach Landesart,
Die Donau blitzt aus tiefem Grund,
Der Stephansturm auch ganz von fern
Guckt übern Berg und säh' mich gern,
Und ist er's nicht, so kommt er doch gleich,
Vivat Östreich!«

Ich stand auf einem hohen Berge, wo man zum erstenmal nach Östreich hineinsehen kann, und schwenkte voller Freude noch mit dem Hute und sang die letzte Strophe, da fiel auf einmal hinter mir im Walde eine prächtige Musik von Blasinstrumenten mit ein. Ich dreh mich schnell um und erblicke drei junge Gesellen in langen blauen Mänteln, davon bläst der eine Oboe, der andere die Klarinett' und der dritte, der einen alten Dreistutzer auf dem Kopfe hatte, das Waldhorn – die akkompagnierten mich plötzlich, daß der ganze Wald erschallte. Ich, nicht zu faul, ziehe meine Geige hervor und spiele und singe sogleich frisch mit. Da sah einer den andern bedenklich an, der Waldhornist ließ dann zuerst seine Bausbacken wieder einfallen und setzte sein Waldhorn ab, bis am Ende alle stille wurden und mich anschauten. Ich hielt verwundert ein und sah sie auch an. – »Wir meinten«, sagte endlich der Waldhornist, »weil der Herr so einen langen Frack hat, der Herr wäre ein reisender Engländer, der hier zu Fuß die schöne Natur bewundert; da wollten wir uns ein Viatikum verdienen. Aber, mir scheint, der Herr ist selber ein Musikant.« – »Eigentlich ein Einnehmer«, versetzte ich, »und komme direkt von Rom her, da ich aber seit geraumer Zeit nichts mehr eingenommen, so habe ich mich unterweges mit der Violine durchgeschlagen.« – »Bringt nicht viel heutzutage!« sagte der Waldhornist, der unterdes wieder an den Wald zurückgetreten war und mit seinem Dreistutzer ein kleines Feuer anfachte, das sie dort angezündet hatten. »Da gehn die blasenden Instrumente schon besser«, fuhr er fort; »wenn so eine Herrschaft ganz ruhig zu Mittag speist und wir treten unverhofft in das gewölbte Vorhaus und fangen alle drei aus Leibeskräften zu blasen an – gleich kommt ein Bedienter herausgesprungen mit Geld oder Essen, damit sie nur den Lärm wieder loswerden. Aber will der Herr nicht eine Kollation mit uns einnehmen?«

Das Feuer loderte nun recht lustig im Walde, der Morgen war frisch, wir setzten uns alle ringsumher auf den Rasen, und zwei von den Musikanten nahmen ein Töpfchen, worin

Kaffee und auch schon Milch war, vom Feuer, holten Brot aus ihren Manteltaschen hervor und tunkten und tranken abwechselnd aus dem Topfe, und es schmeckte ihnen so gut, daß es ordentlich eine Lust war anzusehen. – Der Waldhornist aber sagte: »Ich kann das schwarze Gesöff nicht vertragen«, und reichte mir dabei die eine Hälfte von einer großen übereinandergelegten Butterschnitte, dann brachte er eine Flasche Wein zum Vorschein. »Will der Herr nicht auch einen Schluck?« – Ich tat einen tüchtigen Zug, mußte aber schnell wieder absetzen und das ganze Gesicht verziehn, denn es schmeckte wie Dreimännerwein. »Hiesiges Gewächs«, sagte der Waldhornist, »aber der Herr hat sich in Italien den deutschen Geschmack verdorben.«

Darauf kramte er eifrig in seinem Schubsack und zog endlich unter allerlei Plunder eine alte zerfetzte Landkarte hervor, worauf noch der Kaiser in vollem Ornate zu sehen war, den Zepter in der rechten, den Reichsapfel in der linken Hand. Er breitete sie auf dem Boden behutsam auseinander, die andern rückten näher heran, und sie beratschlagten nun zusammen, was sie für eine Marschroute nehmen sollten.

»Die Vakanz geht bald zu Ende«, sagte der eine, »wir müssen uns gleich von Linz links abwenden, so kommen wir noch bei guter Zeit nach Prag.« – »Nun wahrhaftig!« rief der Waldhornist, »wem willst du da was vorpfeifen? nichts als Wälder und Kohlenbauern, kein geläuterter Kunstgeschmack, keine vernünftige freie Station!« – »O Narrenspossen!« erwiderte der andere, »die Bauern sind mir grade die liebsten, die wissen am besten, wo einen der Schuh drückt, und nehmen's nicht so genau, wenn man manchmal eine falsche Note bläst.« – »Das macht, du hast kein point d'honneur«, versetzte der Waldhornist, »odi profanum vulgus et arceo, sagt der Lateiner.« – »Nun, Kirchen aber muß es auf der Tour doch geben«, meinte der dritte, »so kehren wir bei den Herren Pfarrern ein.« – »Gehorsamster Diener!« sagte der Waldhornist, »die geben kleines Geld und große Sermone, daß wir nicht so unnütz in der

Welt herumschweifen, sondern uns besser auf die Wissenschaften applizieren sollen, besonders wenn sie in mir den künftigen Herrn Konfrater wittern. Nein, nein, Clericus clericum non decimat. Aber was gibt es denn da überhaupt
5 für große Not? Die Herren Professoren sitzen auch noch im Karlsbade und halten selbst den Tag nicht so genau ein.« – »Ja, distinguendum est inter et inter«, erwiderte der andere, »quod licet Jovi, non licet bovi!«

Ich aber merkte nun, daß es Prager Studenten waren, und
10 bekam einen ordentlichen Respekt vor ihnen, besonders da ihnen das Latein nur so wie Wasser vom Munde floß. – »Ist der Herr auch ein Studierter?« fragte mich darauf der Waldhornist. Ich erwiderte bescheiden, daß ich immer besondere Lust zum Studieren, aber kein Geld gehabt hätte. –
15 »Das tut gar nichts«, rief der Waldhornist, »wir haben auch weder Geld noch reiche Freundschaft. Aber ein gescheuter Kopf muß sich zu helfen wissen. Aurora musis amica, das heißt zu deutsch: mit vielem Frühstücken sollst du dir nicht die Zeit verderben. Aber wenn dann die Mittagsglocken von
20 Turm zu Turm und von Berg zu Berg über die Stadt gehen und nun die Schüler auf einmal mit großem Geschrei aus dem alten finstern Kollegium herausbrechen und im Sonnenscheine durch die Gassen schwärmen – da begeben wir uns bei den Kapuzinern zum Pater Küchenmeister und fin-
25 den unsern gedeckten Tisch, und ist er auch nicht gedeckt, so steht doch für jeden ein voller Topf darauf, da fragen wir nicht viel darnach und essen und perfektionieren uns dabei noch im Lateinischsprechen. Sieht der Herr, so studieren wir von einem Tage zum andern fort. Und wenn dann endlich
30 die Vakanz kommt, und die andern fahren und reiten zu ihren Eltern fort, da wandern wir mit unsern Instrumenten unterm Mantel durch die Gassen zum Tore hinaus, und die ganze Welt steht uns offen.«

Ich weiß nicht – wie er so erzählte – ging es mir recht
35 durchs Herz, daß so gelehrte Leute so ganz verlassen sein sollten auf der Welt. Ich dachte dabei an mich, wie es mir

eigentlich selber nicht anders ginge, und die Tränen traten mir in die Augen. Der Waldhornist sah mich groß an. »Das tut gar nichts«, fuhr er wieder weiter fort, »ich möchte gar nicht so reisen: Pferde und Kaffee und frischüberzogene Betten und Nachtmützen und Stiefelknecht vorausbestellt. Das ist just das Schönste, wenn wir so frühmorgens heraustreten, und die Zugvögel hoch über uns fortziehn, daß wir gar nicht wissen, welcher Schornstein heut für uns raucht, und gar nicht voraussehen, was uns bis zum Abend noch für ein besonderes Glück begegnen kann.« – »Ja«, sagte der andere, »und wo wir hinkommen und unsere Instrumente herausziehen, wird alles fröhlich, und wenn wir dann zur Mittagsstunde auf dem Lande in ein Herrschaftshaus treten und im Hausflur blasen, da tanzen die Mägde miteinander vor der Haustür, und die Herrschaft läßt die Saaltür etwas aufmachen, damit sie die Musik drin besser hören, und durch die Lücke kommt das Tellergeklapper und der Bratenduft in den freudenreichen Schall herausgezogen, und die Fräuleins an der Tafel verdrehen sich fast die Hälse, um die Musikanten draußen zu sehn.« – »Wahrhaftig«, rief der Waldhornist mit leuchtenden Augen aus, »laßt die andern nur ihre Kompendien repetieren, *wir* studieren unterdes in dem großen Bilderbuche, das der liebe Gott uns draußen aufgeschlagen hat! Ja glaub' nur der Herr, aus uns werden grade die rechten Kerls, die den Bauern dann was zu erzählen wissen und mit der Faust auf die Kanzel schlagen, daß den Knollfinken unten vor Erbauung und Zerknirschung das Herz im Leibe bersten möchte.«

Wie sie so sprachen, wurde mir so lustig in meinem Sinn, daß ich gleich auch hätte mit studieren mögen. Ich konnte mich gar nicht satt hören, denn ich unterhalte mich gern mit studierten Leuten, wo man etwas profitieren kann. Aber es konnte gar nicht zu einem recht vernünftigen Diskurse kommen. Denn dem einen Studenten war vorhin angst geworden, weil die Vakanz so bald zu Ende gehen sollte. Er hatte daher hurtig sein Klarinett zusammengesetzt, ein Noten-

blatt vor sich auf das aufgestemmte Knie hingelegt und
exerzierte sich eine schwierige Passage aus einer Messe ein,
die er mitblasen sollte, wenn sie nach Prag zurückkamen.
Da saß er nun und fingerte und pfiff dazwischen manchmal
5 so falsch, daß es einem durch Mark und Bein ging und man
oft sein eigenes Wort nicht verstehen konnte.

Auf einmal schrie der Waldhornist mit seiner Baßstimme.
»Topp, da hab ich es«, er schlug dabei fröhlich auf die
Landkarte neben ihm. Der andere ließ auf einen Augenblick
10 von seinem fleißigen Blasen ab und sah ihn verwundert an.
»Hört«, sagte der Waldhornist, »nicht weit von Wien ist
ein Schloß, auf dem Schlosse ist ein Portier, und der Portier
ist mein Vetter! Teuerste Kondiszipels, da müssen wir hin,
machen dem Herrn Vetter unser Kompliment, und er wird
15 dann schon dafür sorgen, wie er uns wieder weiter fort-
bringt!« – Als ich das hörte, fuhr ich geschwind auf. »Bläst
er nicht auf dem Fagott?« rief ich, »und ist von langer,
grader Leibesbeschaffenheit, und hat eine große, vornehme
Nase?« – Der Waldhornist nickte mit dem Kopfe. Ich aber
20 embrassierte ihn vor Freuden, daß ihm der Dreistutzer vom
Kopfe fiel, und wir beschlossen nun sogleich, alle miteinander im Postschiffe auf der Donau nach dem Schloß der schönen Gräfin hinunterzufahren.

Als wir an das Ufer kamen, war schon alles zur Abfahrt
25 bereit. Der dicke Gastwirt, bei dem das Schiff über Nacht
angelegt hatte, stand breit und behaglich in seiner Haustür,
die er ganz ausfüllte, und ließ zum Abschied allerlei Witze
und Redensarten erschallen, während in jedem Fenster ein
Mädchenkopf herausfuhr und den Schiffern noch freundlich
30 zunickte, die soeben die letzten Pakete nach dem Schiffe
schafften. Ein ältlicher Herr mit einem grauen Überrock
und schwarzen Halstuch, der auch mitfahren wollte, stand
am Ufer und sprach sehr eifrig mit einem jungen schlanken
Bürschchen, das mit langen ledernen Beinkleidern und knap-
35 per, scharlachroter Jacke vor ihm auf einem prächtigen Engländer saß. Es schien mir zu meiner großen Verwunderung,

85

als wenn sie beide zuweilen nach mir hinblickten und von mir sprächen – Zuletzt lachte der alte Herr, das schlanke Bürschchen schnalzte mit der Reitgerte und sprengte, mit den Lerchen über ihm um die Wette, durch die Morgenluft in die blitzende Landschaft hinein.

Unterdes hatten die Studenten und ich unsere Kasse zusammengeschossen. Der Schiffer lachte und schüttelte den Kopf, als ihm der Waldhornist damit unser Fährgeld in lauter Kupferstücken aufzählte, die wir mit großer Not aus allen unsern Taschen zusammengebracht hatten. Ich aber jauchzte laut auf, als ich auf einmal wieder die Donau so recht vor mir sah; wir sprangen geschwind auf das Schiff hinauf, der Schiffer gab das Zeichen, und so flogen wir nun im schönsten Morgenglanze zwischen den Bergen und Wiesen hinunter.

Da schlugen die Vögel im Walde, und von beiden Seiten klangen die Morgenglocken von fern aus den Dörfern, hoch in der Luft hörte man manchmal die Lerchen dazwischen. Von dem Schiffe aber jubilierte und schmetterte ein Kanarienvogel mit darein, daß es eine rechte Lust war.

Der gehörte einem hübschen jungen Mädchen, die auch mit auf dem Schiffe war. Sie hatte den Käfig dicht neben sich stehen, von der andern Seite hielt sie ein feines Bündel Wäsche unterm Arm, so saß sie ganz still für sich und sah recht zufrieden bald auf ihre neue Reiseschuhe, die unter dem Röckchen hervorkamen, bald wieder in das Wasser vor sich hinunter, und die Morgensonne glänzte ihr dabei auf der weißen Stirn, über der sie die Haare sehr sauber gescheitelt hatte. Ich merkte wohl, daß die Studenten gern einen höflichen Diskurs mit ihr angesponnen hätten, denn sie gingen immer an ihr vorüber, und der Waldhornist räusperte sich dabei und rückte bald an seiner Halsbinde, bald an dem Dreistutzer. Aber sie hatten keine rechte Courage, und das Mädchen schlug auch jedesmal die Augen nieder, sobald sie ihr näher kamen.

Besonders aber genierten sie sich vor dem ältlichen Herrn

mit dem grauen Überrock, der nun auf der andern Seite des
Schiffes saß und den sie gleich für einen Geistlichen hielten.
Er hatte ein Brevier vor sich, in welchem er las, dazwischen
aber oft in die schöne Gegend von dem Buche aufsah, dessen
Goldschnitt und die vielen dareingelegten bunten Heiligen-
bilder prächtig im Morgenschein blitzten. Dabei bemerkte
er auch sehr gut, was auf dem Schiffe vorging, und erkannte
bald die Vögel an ihren Federn; denn es dauerte nicht lange,
so redete er einen von den Studenten lateinisch an, worauf
alle drei herantraten, die Hüte vor ihm abnahmen und ihm
wieder lateinisch antworteten.

Ich aber hatte mich unterdes ganz vorn auf die Spitze des
Schiffes gesetzt, ließ vergnügt meine Beine über dem Wasser
herunterbaumeln und blickte, während das Schiff so fort-
flog und die Wellen unter mir rauschten und schäumten,
immerfort in die blaue Ferne, wie da ein Turm und ein
Schloß nach dem andern aus dem Ufergrün hervorkam,
wuchs und wuchs und endlich hinter uns wieder verschwand.
Wenn ich nur *heute* Flügel hätte! dachte ich und zog endlich
vor Ungeduld meine liebe Violine hervor und spielte alle
meine ältesten Stücke durch, die ich noch zu Hause und auf
dem Schloß der schönen Frau gelernt hatte.

Auf einmal klopfte mir jemand von hinten auf die Ach-
sel. Es war der geistliche Herr, der unterdes sein Buch weg-
gelegt und mir schon ein Weilchen zugehört hatte. »Ei«,
sagte er lachend zu mir, »ei, ei, Herr ludi magister, Essen
und Trinken vergißt Er.« Er hieß mich darauf meine Geige
einstecken, um einen Imbiß mit ihm einzunehmen, und
führte mich zu einer kleinen lustigen Laube, die von den
Schiffern aus jungen Birken und Tannenbäumchen in der
Mitte des Schiffes aufgerichtet worden war. Dort hatte er
einen Tisch hinstellen lassen, und ich, die Studenten und
selbst das junge Mädchen mußten uns auf die Fässer und
Pakete ringsherum setzen.

Der geistliche Herr packte nun einen großen Braten und
Butterschnitten aus, die sorgfältig in Papier gewickelt wa-

ren, zog auch aus einem Futteral mehrere Weinflaschen und einen silbernen, innerlich vergoldeten Becher hervor, schenkte ein, kostete erst, roch daran und prüfte wieder und reichte dann einem jeden von uns. Die Studenten saßen ganz kerzengrade auf ihren Fässern und aßen und tranken nur sehr wenig vor großer Devotion. Auch das Mädchen tauchte bloß das Schnäbelchen in den Becher und blickte dabei schüchtern bald auf mich, bald auf die Studenten, aber je öfter sie uns ansah, je dreister wurde sie nach und nach.

Sie erzählte endlich dem geistlichen Herrn, daß sie nun zum ersten Male von Hause in Kondition komme und soeben auf das Schloß ihrer neuen Herrschaft reise. Ich wurde über und über rot, denn sie nannte dabei das Schloß der schönen gnädigen Frau. – Also das soll meine zukünftige Kammerjungfer sein! dachte ich und sah sie groß an, und mir schwindelte fast dabei. – »Auf dem Schlosse wird es bald eine große Hochzeit geben«, sagte darauf der geistliche Herr. »Ja«, erwiderte das Mädchen, die gern von der Geschichte mehr gewußt hätte; »man sagt, es wäre schon eine alte, heimliche Liebschaft gewesen, die Gräfin hätte es aber niemals zugeben wollen.« Der Geistliche antwortete nur mit: »Hm, hm!«, während er seinen Jagdbecher vollschenkte und mit bedenklichen Mienen daraus nippte. Ich aber hatte mich mit beiden Armen weit über den Tisch vorgelegt, um die Unterredung recht genau anzuhören. Der geistliche Herr bemerkte es. »Ich kann's Euch wohl sagen«, hub er wieder an, »die beiden Gräfinnen haben mich auf Kundschaft ausgeschickt, ob der Bräutigam schon vielleicht hier in der Gegend sei. Eine Dame aus Rom hat geschrieben, daß er schon lange von dort fort sei.« – Wie er von der Dame aus Rom anfing, wurd' ich wieder rot. »Kennen denn Ew. Hochwürden den Bräutigam?« fragte ich ganz verwirrt. – »Nein«, erwiderte der alte Herr, »aber er soll ein lustiger Vogel sein.« – »O ja«, sagte ich hastig, »ein Vogel, der aus jedem Käfig ausreißt, sobald er nur kann, und lustig singt, wenn er wieder in der Freiheit ist.« –

»Und sich in der Fremde herumtreibt«, fuhr der Herr gelassen fort, »in der Nacht passatim geht und am Tage vor
den Haustüren schläft.« – Mich verdroß das sehr. »Ehr-
würdiger Herr«, rief ich ganz hitzig aus, »da hat man Euch
5 falsch berichtet. Der Bräutigam ist ein moralischer, schlan-
ker, hoffnungsvoller Jüngling, der in Italien in einem alten
Schlosse auf großem Fuß gelebt hat, der mit lauter Gräfinnen, berühmten Malern und Kammerjungfern umgegangen
ist, der sein Geld sehr wohl zu Rate zu halten weiß, wenn er
10 nur welches hätte, der« – »Nun, nun, ich wußte nicht,
das Ihr ihn so gut kennt«, unterbrach mich hier der Geistliche und lachte dabei so herzlich, daß er ganz blau im Gesichte wurde und ihm die Tränen aus den Augen rollten. –
»Ich hab doch aber gehört«, ließ sich nun das Mädchen
15 wieder vernehmen, »der Bräutigam wäre ein großer, überaus reicher Herr.« – »Ach Gott, ja doch, ja! Konfusion,
nichts als Konfusion!« rief der Geistliche und konnte sich
noch immer vor Lachen nicht zugute geben, bis er sich endlich ganz verhustete. Als er sich wieder ein wenig erholt
20 hatte, hob er den Becher in die Höh' und rief: »Das Braut-
paar soll leben!« – Ich wußte gar nicht, was ich von dem
Geistlichen und seinem Gerede denken sollte, ich schämte
mich aber wegen der römischen Geschichten, ihm hier vor allen Leuten zu sagen, daß ich selber der verlorene glückselige
25 Bräutigam sei.
      Der Becher ging wieder fleißig in die Runde, der geistliche
Herr sprach dabei freundlich mit allen, so daß ihm bald ein
jeder gut wurde und am Ende alles fröhlich durcheinander-
sprach. Auch die Studenten wurden immer redseliger und
30 erzählten von ihren Fahrten im Gebirge, bis sie endlich gar
ihre Instrumente holten und lustig zu blasen anfingen. Die
kühle Wasserluft strich dabei durch die Zweige der Laube,
die Abendsonne vergoldete schon die Wälder und Täler, die
schnell an uns vorüberflogen, während die Ufer von den
35 Waldhornsklängen widerhallten. – Und als dann der Geistliche von der Musik immer vergnügter wurde und lustige

Geschichten aus seiner Jugend erzählte: wie auch er zur Vakanz über Berge und Taler gezogen und oft hungrig und durstig, aber immer fröhlich gewesen und wie eigentlich das ganze Studentenleben eine große Vakanz sei zwischen der engen, düstern Schule und der ernsten Amtsarbeit – da tranken die Studenten noch einmal herum und stimmten dann frisch ein Lied an, daß es weit in die Berge hinein-schallte:

> »Nach Süden nun sich lenken
> Die Vöglein allzumal,
> Viel' Wandrer lustig schwenken
> Die Hüt' im Morgenstrahl.
> Das sind die Herrn Studenten,
> Zum Tor hinaus es geht,
> Auf ihren Instrumenten
> Sie blasen zum Valet:
> Ade in die Läng' und Breite
> O Prag, wir ziehn in die Weite!
> Et habeat bonam pacem,
> Qui sedet post fornacem!
>
> Nachts wir durchs Städtlein schweifen,
> Die Fenster schimmern weit,
> Am Fenster drehn und schleifen
> Viel' schön geputzte Leut'.
> Wir blasen vor den Türen
> Und haben Durst genung,
> Das kommt vom Musizieren,
> Herr Wirt, einen frischen Trunk!
> Und siehe über ein kleines
> Mit einer Kanne Weines
> Venit ex sua domo –
> Beatus ille homo!
>
> Nun weht schon durch die Wälder
> Der kalte Boreas,

Wir streichen durch die Felder,
Von Schnee und Regen naß,
Der Mantel fliegt im Winde,
Zerrissen sind die Schuh',
5   Da blasen wir geschwinde
Und singen noch dazu:
Beatus ille homo
Qui sedet in sua domo
Et sedet post fornacem
0   Et habet bonam pacem!«

Ich, die Schiffer und das Mädchen, obgleich wir alle kein
Latein verstanden, stimmten jedesmal jauchzend in den letzten Vers mit ein, ich aber jauchzte am allervergnügtesten,
denn ich sah soeben von fern mein Zollhäuschen und bald
15 darauf auch das Schloß in der Abendsonne über die Bäume
hervorkommen.

ZEHNTES KAPITEL

Das Schiff stieß an das Ufer, wir sprangen schnell ans Land
und verteilten uns nun nach allen Seiten im Grünen, wie
20 Vögel, wenn das Gebauer plötzlich aufgemacht wird. Der
geistliche Herr nahm eiligen Abschied und ging mit großen
Schritten nach dem Schlosse zu. Die Studenten dagegen wanderten eifrig nach einem abgelegenen Gebüsch, wo sie noch
geschwind ihre Mäntel ausklopfen, sich in dem vorüberflie-
25 ßenden Bache waschen und einer den andern rasieren wollten. Die neue Kammerjungfer endlich ging mit ihrem Kanarienvogel und ihrem Bündel unterm Arm nach dem Wirtshause unter dem Schloßberge, um bei der Frau Wirtin, die
ich ihr als eine gute Person rekommandiert hatte, ein bes-
30 seres Kleid anzulegen, ehe sie sich oben im Schlosse vor-
stellte. Mir aber leuchtete der schöne Abend recht durchs
Herz, und als sie sich nun alle verlaufen hatten, bedachte ich

mich nicht lange und rannte sogleich nach dem herrschaft
lichen Garten hin.

Mein Zollhaus, an dem ich vorbei mußte, stand noch auf
der alten Stelle, die hohen Bäume aus dem herrschaftlichen
Garten rauschten noch immer darüber hin, ein Goldammer, 5
der damals auf dem Kastanienbaume vor dem Fenster jedesmal bei Sonnenuntergang sein Abendlied gesungen hatte,
sang auch wieder, als wäre seitdem gar nichts in der Welt
vorgegangen. Das Fenster im Zollhause stand offen, ich lief
voller Freuden hin und steckte den Kopf in die Stube hin- 10
ein. Es war niemand darin, aber die Wanduhr pickte noch
immer ruhig fort, der Schreibtisch stand am Fenster und die
lange Pfeife in einem Winkel wie damals. Ich konnte nicht
widerstehen, ich sprang durch das Fenster hinein und setzte
mich an den Schreibtisch vor das große Rechenbuch hin. Da 15
fiel der Sonnenschein durch den Kastanienbaum vor dem
Fenster wieder grüngolden auf die Ziffern in dem aufge-
schlagenen Buche, die Bienen summten wieder an dem offenen Fenster hin und her, der Goldammer draußen auf dem
Baume sang fröhlich immerzu. – Auf einmal aber ging die 20
Türe aus der Stube auf, und ein alter, langer Einnehmer in
meinem punktierten Schlafrock trat herein! Er blieb in der
Türe stehen, wie er mich so unversehens erblickte, nahm
schnell die Brille von der Nase und sah mich grimmig an.
Ich aber erschrak nicht wenig darüber, sprang, ohne ein 25
Wort zu sagen, auf und lief aus der Haustür durch den
kleinen Garten fort, wo ich mich noch bald mit den Füßen
in dem fatalen Kartoffelkraut verwickelt hätte, das der alte
Einnehmer nunmehr, wie ich sah, nach des Portiers Rat statt
meiner Blumen angepflanzt hatte. Ich hörte noch, wie er vor 30
die Tür herausfuhr und hinter mir drein schimpfte, aber ich
saß schon oben auf der hohen Gartenmauer und schaute mit
klopfendem Herzen in den Schloßgarten hinein.

Da war ein Duften und Schimmern und Jubilieren von
allen Vögeln; die Plätze und Gänge waren leer, aber die 35
vergoldeten Wipfel neigten sich im Abendwinde vor mir,

als wollten sie mich bewillkommnen, und seitwärts aus dem tiefen Grunde blitzte zuweilen die Donau zwischen den Bäumen nach mir herauf.

Auf einmal hörte ich in einiger Entfernung im Garten singen:

> »Schweigt der Menschen laute Lust!
> Rauscht die Erde wie in Träumen
> Wunderbar mit allen Bäumen,
> Was dem Herzen kaum bewußt,
> Alte Zeiten, linde Trauer,
> Und es schweifen leise Schauer
> Wetterleuchtend durch die Brust.«

Die Stimme und das Lied klang mir so wunderlich und doch wieder so altbekannt, als hätte ich's irgend einmal im Traume gehört. Ich dachte lange, lange nach. – »Das ist der Herr Guido!« rief ich endlich voller Freude und schwang mich schnell in den Garten hinunter – es war dasselbe Lied, das er an jenem Sommerabend auf dem Balkon des italienischen Wirtshauses sang, wo ich ihn zum letztenmal gesehn hatte.

Er sang noch immer fort, ich aber sprang über Beete und Hecken dem Liede nach. Als ich nun zwischen den letzten Rosensträuchern hervortrat, blieb ich plötzlich wie verzaubert stehen. Denn auf dem grünen Platze am Schwanenteich, recht vom Abendrot beschienen, saß die schöne gnädige Frau, in einem prächtigen Kleide und einem Kranz von weißen und roten Rosen in dem schwarzen Haar, mit niedergeschlagenen Augen auf einer Steinbank und spielte während des Liedes mit ihrer Reitgerte vor sich auf dem Rasen, grade so wie damals auf dem Kahne, da ich ihr das Lied von der schönen Frau vorsingen mußte. Ihr gegenüber saß eine andre junge Dame, die hatte den weißen runden Nacken voll brauner Locken gegen mich gewendet und sang zur Gitarre, während die Schwäne auf dem stillen Weiher langsam im Kreise herumschwammen. – Da hob die schöne Frau auf einmal

die Augen und schrie laut auf, da sie mich erblickte. Die an
dere Dame wandte sich rasch nach mir herum, daß ihr die
Locken ins Gesicht flogen, und da sie mich recht ansah, brach
sie in ein unmäßiges Lachen aus, sprang dann von der Bank
und klatschte dreimal mit den Händchen. In demselben
Augenblick kam eine große Menge kleiner Mädchen in blü-
tenweißen kurzen Kleidchen mit grünen und roten Schleifen
zwischen den Rosensträuchern hervorgeschlüpft, so daß ich
gar nicht begreifen konnte, wo sie alle gesteckt hatten. Sie
hielten eine lange Blumengirlande in den Händen, schlossen
schnell einen Kreis um mich, tanzten um mich herum und
sangen dabei:

> »Wir bringen dir den Jungfernkranz
> Mit veilchenblauer Seide,
> Wir führen dich zu Lust und Tanz,
> Zu neuer Hochzeitsfreude.
> Schöner, grüner Jungfernkranz,
> Veilchenblaue Seide.«

Das war aus dem Freischützen. Von den kleinen Sängerinnen erkannte ich nun auch einige wieder, es waren Mädchen
aus dem Dorfe. Ich kneipte sie in die Wangen und wäre
gern aus dem Kreise entwischt, aber die kleinen schnippische Dinger ließen mich nicht heraus. – Ich wußte gar
nicht, was die Geschichte eigentlich bedeuten sollte, und
stand ganz verblüfft da.

Da trat plötzlich ein junger Mann in feiner Jägerkleidung
aus dem Gebüsch hervor. Ich traute meinen Augen kaum –
es war der fröhliche Herr Leonhard! – Die kleinen Mädchen öffneten nun den Kreis und standen auf einmal wie
verzaubert alle unbeweglich auf einem Beinchen, während
sie das andere in die Luft streckten und dabei die Blumen-
girlanden mit beiden Armen hoch über den Köpfen in die
Höh' hielten. Der Herr Leonhard aber faßte die schöne
gnädige Frau, die noch immer ganz still stand und nur

manchmal auf mich herüberblickte, bei der Hand, führte sie
bis zu mir und sagte:

»Die Liebe – darüber sind nun alle Gelehrten einig –
ist eine der couragiösesten Eigenschaften des menschlichen
Herzens, die Bastionen von Rang und Stand schmettert sie
mit einem Feuerblicke darnieder, die Welt ist ihr zu eng
und die Ewigkeit zu kurz. Ja, sie ist eigentlich ein Poeten-
mantel, den jeder Phantast einmal in der kalten Welt um-
nimmt, um nach Arkadien auszuwandern. Und je entfernter
zwei getrennte Verliebte voneinander wandern, in desto an-
ständigern Bogen bläst der Reisewind den schillernden Mantel hinter ihnen auf, desto kühner und überraschender ent-
wickelt sich der Faltenwurf, desto länger und länger wächst
der Talar den Liebenden hintennach, so daß ein Neutraler
nicht über Land gehen kann, ohne unversehens auf ein paar
solche Schleppen zu treten. O teuerster Herr Einnehmer und
Bräutigam! obgleich Ihr in diesem Mantel bis an den Ge-
staden der Tiber dahinrauschtet, das kleine Händchen Eurer
gegenwärtigen Braut hielt Euch dennoch am äußersten Ende
der Schleppe fest, und wie Ihr zucktet und geigtet und ru-
mortet, Ihr mußtet zurück in den stillen Bann ihrer schönen
Augen. – Und nun dann, da es so gekommen ist, ihr zwei
lieben, lieben närrischen Leute! schlagt den seligen Mantel
um euch, daß die ganze andere Welt rings um euch untergeht
– liebt euch wie die Kaninchen und seid glücklich!«

Der Herr Leonhard war mit seinem Sermon kaum erst
fertig, so kam auch die andere junge Dame, die vorhin das
Liedchen gesungen hatte, auf mich los, setzte mir schnell
einen frischen Myrtenkranz auf den Kopf und sang dazu
sehr neckisch, während sie mir den Kranz in den Haaren
festrückte und ihr Gesichtchen dabei dicht vor mir war:

>»Darum bin ich dir gewogen,
Darum wird dein Haupt geschmückt,
Weil der Strich von deinem Bogen
Öfters hat mein Herz entzückt.«

Dann trat sie wieder ein paar Schritte zurück. – »Kennst du die Räuber noch, die dich damals in der Nacht vom Baume schüttelten?« sagte sie, indem sie einen Knicks mir machte und mich so anmutig und fröhlich ansah, daß mir ordentlich das Herz im Leibe lachte. Darauf ging sie, ohne meine Antwort abzuwarten, rings um mich herum. »Wahrhaftig noch ganz der alte, ohne allen welschen Beischmack! Aber nein, sieh doch nur einmal die dicken Taschen an!« rief sie plötzlich zu der schönen gnädigen Frau, »Violine, Wäsche, Barbiermesser, Reisekoffer, alles durcheinander!« Sie drehte mich dabei nach allen Seiten und konnte sich vor Lachen gar nicht zugute geben. Die schöne gnädige Frau war unterdes noch immer still und mochte gar nicht die Augen aufschlagen vor Scham und Verwirrung. Oft kam es mir vor, als zürnte sie heimlich über das viele Gerede und Spaßen. Endlich stürzten ihr plötzlich Tränen aus den Augen, und sie verbarg ihr Gesicht an der Brust der andern Dame. Diese sah sie erst erstaunt an und drückte sie dann herzlich an sich.

Ich aber stand ganz verdutzt da. Denn je genauer ich die fremde Dame betrachtete, desto deutlicher erkannte ich sie, es war wahrhaftig niemand anders als – der junge Herr Maler Guido!

Ich wußte gar nicht, was ich sagen sollte, und wollte soeben näher nachfragen, als Herr Leonhard zu ihr trat und heimlich mit ihr sprach. »Weiß er denn noch nicht?« hörte ich ihn fragen. Sie schüttelte mit dem Kopfe. Er besann sich darauf einen Augenblick. »Nein, nein«, sagte er endlich, »er muß schnell alles erfahren, sonst entsteht nur neues Geplauder und Gewirre.«

»Herr Einnehmer«, wandte er sich nun zu mir, »wir haben jetzt nicht viel Zeit, aber tue mir den Gefallen und wundere dich hier in aller Geschwindigkeit aus, damit du nicht hinterher durch Fragen, Erstaunen und Kopfschütteln unter den Leuten alte Geschichten aufrührst und neue Erdichtungen und Vermutungen ausschüttelst.« – Er zog mich

bei diesen Worten tiefer in das Gebüsch hinein, während
das Fräulein mit der von der schönen gnädigen Frau weg-
gelegten Reitgerte in der Luft focht und alle ihre Locken
tief in das Gesichtchen schüttelte, durch die ich aber doch
5 sehen konnte, daß sie bis an die Stirn rot wurde. – »Nun
denn«, sagte Herr Leonhard, »Fräulein Flora, die hier soeben tun will, als hörte und wüßte sie von der ganzen Geschichte nichts, hatte in aller Geschwindigkeit ihr Herzchen
mit jemandem vertauscht. Darüber kommt ein andrer und
10 bringt ihr mit Prologen, Trompeten und Pauken wiederum
sein Herz dar und will ihr Herz dagegen. Ihr Herz ist aber
schon bei jemand und jemands Herz bei ihr, und der jemand
will sein Herz nicht wiederhaben und ihr Herz nicht wieder
zurückgeben. Alle Welt schreit – aber du hast wohl noch
15 keinen Roman gelesen?« – Ich verneinte es. – »Nun, so
hast du doch einen mitgespielt. Kurz: das war eine solche
Konfusion mit den Herzen, daß der jemand – das heißt
ich – mich zuletzt selbst ins Mittel legen mußte. Ich schwang
mich bei lauer Sommernacht auf mein Roß, hob das Fräu-
20 lein als Maler Guido auf das andere, und so ging es fort
nach Süden, um sie in einem meiner einsamen Schlösser in
Italien zu verbergen, bis das Geschrei wegen der Herzen
vorüber wäre. Unterweges aber kam man uns auf die Spur,
und von dem Balkon des welschen Wirtshauses, vor dem du
25 so vortrefflich Wache schliefst, erblickte Flora plötzlich unsere Verfolger.« – »Also der bucklichte Signor?« – »War
ein Spion. Wir zogen uns daher heimlich in die Wälder und
ließen dich auf dem vorbestellten Postkurse allein fortfah-
ren. Das täuschte unsere Verfolger und zum Überfluß auch
30 noch meine Leute auf dem Bergschlosse, welche die verklei-
dete Flora stündlich erwarteten und mit mehr Diensteifer
als Scharfsinn dich für das Fräulein hielten. Selbst hier auf
dem Schlosse glaubte man, daß Flora auf dem Felsen wohne,
man erkundigte sich, man schrieb an sie – hast du nicht
35 ein Briefchen erhalten?« – Bei diesen Worten fuhr ich
blitzschnell mit dem Zettel aus der Tasche. – »Also dieser

97

Brief?« – »Ist an mich«, sagte Fräulein Flora, die bisher auf unsre Rede gar nicht achtzugeben schien, riß mir den Zettel rasch aus der Hand, überlas ihn und steckte ihn dann in den Busen. – »Und nun«, sagte Herr Leonhard, »müssen wir schnell in das Schloß, da wartet schon alles auf uns. Also zum Schluß, wie sich's von selbst versteht und einem wohlerzognen Romane gebührt: Entdeckung, Reue, Versöhnung, wir sind alle wieder lustig beisammen, und übermorgen ist Hochzeit!«

Da er noch so sprach, erhob sich plötzlich in dem Gebüsch ein rasender Spektakel von Pauken und Trompeten, Hörnern und Posaunen; Böller wurden dazwischen gelöst und Vivat gerufen, die kleinen Mädchen tanzten von neuem, und aus allen Sträuchern kam ein Kopf über dem andern hervor, als wenn sie aus der Erde wüchsen. Ich sprang in dem Geschwirre und Geschleife ellenhoch von einer Seite zur andern, da es aber schon dunkel wurde, erkannte ich erst nach und nach alle die alten Gesichter wieder. Der alte Gärtner schlug die Pauken, die Prager Studenten in ihren Mänteln musizierten mitten darunter, neben ihnen fingerte der Portier wie toll auf seinem Fagott. Wie ich den so unverhofft erblickte, lief ich sogleich auf ihn zu und embrassierte ihn heftig. Darüber kam er ganz aus dem Konzept. »Nun wahrhaftig, und wenn der bis ans Ende der Welt reist, er ist und bleibt ein Narr!« rief er den Studenten zu und blies ganz wütend weiter.

Unterdes war die schöne gnädige Frau vor dem Rumor heimlich entsprungen und flog wie ein aufgescheuchtes Reh über den Rasen tiefer in den Garten hinein. Ich sah es noch zur rechten Zeit und lief ihr eiligst nach. Die Musikanten merkten in ihrem Eifer nichts davon, sie meinten nachher: wir wären schon nach dem Schlosse aufgebrochen, und die ganze Bande setzte sich nun mit Musik und großem Getümmel gleichfalls dorthin auf den Marsch.

Wir aber waren fast zu gleicher Zeit in einem Sommerhause angekommen, das am Abhange des Gartens stand, mit

98

dem offnen Fenster nach dem weiten, tiefen Tale zu. Die
Sonne war schon lange untergegangen hinter den Bergen, es
schimmerte nur noch wie ein rötlicher Duft über dem warmen, verschallenden Abend, aus dem die Donau immer ver-
5 nehmlicher heraufrauschte, je stiller es ringsum wurde. Ich
sah unverwandt die schöne Gräfin an, die ganz erhitzt vom
Laufen dicht vor mir stand, so daß ich ordentlich hören
konnte, wie ihr das Herz schlug. Ich wußte nun aber gar
nicht, was ich sprechen sollte vor Respekt, da ich auf einmal
0 so allein mit ihr war. Endlich faßte ich ein Herz, nahm ihr
kleines weißes Händchen – da zog sie mich schnell an sich
und fiel mir um den Hals, und ich umschlang sie fest mit
beiden Armen.

Sie machte sich aber geschwind wieder los und legte sich
5 ganz verwirrt in das Fenster, um ihre glühenden Wangen in
der Abendluft abzukühlen. – »Ach«, rief ich, »mir ist
mein Herz recht zum Zerspringen, aber ich kann mir noch
alles nicht recht denken, es ist mir alles noch wie ein Traum!«
– »Mir auch«, sagte die schöne gnädige Frau. »Als ich
0 vergangenen Sommer«, setzte sie nach einer Weile hinzu,
»mit der Gräfin aus Rom kam und wir das Fräulein Flora
glücklich gefunden hatten und mit zurückbrachten, von dir
aber dort und hier nichts hörten – da dacht' ich nicht, daß
alles noch so kommen würde! Erst heut zu Mittag sprengte
5 der Jokei, der gute flinke Bursch, atemlos auf den Hof und
brachte die Nachricht, daß du mit dem Postschiffe kämst.«
– Dann lachte sie still in sich hinein. »Weißt du noch«,
sagte sie, »wie du mich damals auf dem Balkon zum letztenmal sahst? Das war grade wie heute, auch so ein stiller
0 Abend und Musik im Garten.« – »Wer ist denn eigentlich
gestorben?« frug ich hastig. – »Wer denn?« sagte die
schöne Frau und sah mich erstaunt an. – »Der Herr Gemahl
von Ew. Gnaden«, erwiderte ich, »der damals mit auf
dem Balkon stand.« – Sie wurde ganz rot. »Was hast du
5 auch für Seltsamkeiten im Kopfe!« rief sie aus, »das war
ja der Sohn von der Gräfin, der eben von Reisen zurück-

kam, und es traf grade auch mein Geburtstag, da führte er mich mit auf den Balkon hinaus, damit ich auch ein Vivat bekäme. – Aber deshalb bist du wohl damals von hier fortgelaufen?« – »Ach Gott, freilich!« rief ich aus, und schlug mich mit der Hand vor die Stirn. Sie aber schüttelte mit dem Köpfchen und lachte recht herzlich.

Mir war so wohl, wie sie so fröhlich und vertraulich neben mir plauderte, ich hätte bis zum Morgen zuhören mögen. Ich war so recht seelenvergnügt und langte eine Handvoll Knackmandeln aus der Tasche, die ich noch aus Italien mitgebracht hatte. Sie nahm auch davon, und wir knackten nun und sahen zufrieden in die stille Gegend hinaus. – »Siehst du«, sagte sie nach einem Weilchen wieder, »das weiße Schlößchen, das da drüben im Mondschein glänzt, das hat uns der Graf geschenkt, samt dem Garten und den Weinbergen, da werden wir wohnen. Er wußt' es schon lange, daß wir einander gut sind, und ist dir sehr gewogen, denn hätt' er dich nicht mitgehabt, als er das Fräulein aus der Pensionsanstalt entführte, so wären sie beide erwischt worden, ehe sie sich vorher noch mit der Gräfin versöhnten, und alles wäre anders gekommen.« – »Mein Gott, schönste, gnädigste Gräfin«, rief ich aus, »ich weiß gar nicht mehr, wo mir der Kopf steht vor lauter unverhofften Neuigkeiten; also der Herr Leonhard?« – »Ja, ja«, fiel sie mir in die Rede, »so nannte er sich in Italien; dem gehören die Herrschaften da drüben, und er heiratet nun unserer Gräfin Tochter, die schöne Flora. – Aber was nennst du mich denn Gräfin?« – Ich sah sie groß an. – »Ich bin ja gar keine Gräfin«, fuhr sie fort, »unsere gnädige Gräfin hat mich nur zu sich aufs Schloß genommen, da mich mein Onkel, der Portier, als kleines Kind und arme Waise mit hierher brachte.«

Nun war's mir doch nicht anders, als wenn mir ein Stein vom Herzen fiele! »Gott segne den Portier«, versetzte ich ganz entzückt, »daß er unser Onkel ist! Ich habe immer große Stücke auf ihn gehalten.« – »Er meint es auch gut

mit dir«, erwiderte sie, »wenn du dich nur etwas vorneh-
mer hieltest, sagt er immer. Du mußt dich jetzt auch elegan-
ter kleiden.« – »Oh«, rief ich voller Freuden, »engli-
schen Frack, Strohhut und Pumphosen und Sporen! und
gleich nach der Trauung reisen wir fort nach Italien, nach
Rom, da gehn die schönen Wasserkünste, und nehmen die
Prager Studenten mit und den Portier!« – Sie lächelte still
und sah mich recht vergnügt und freundlich an, und von
fern schallte immerfort die Musik herüber, und Leuchtku-
geln flogen vom Schloß durch die stille Nacht über die Gärten, und die Donau rauschte dazwischen herauf – und es
war alles, alles gut!

3,18 *den Goldammer:* heute im allgemeinen *die* Goldammer, goldgelber Singvogel.

4.4 *Berg:* im Erstdruck der Erzählung (1826) *Feld,* hier korrigiert nach dem Vorabdruck des ersten Kapitels (1823).

5,4 *einen Reverenz:* lat., heute feminin gebraucht, Ehrerbietung, Verbeugung.

6,1 *Bandelier:* frz., ursprünglich breiter Leibgurt, dann Schulterriemen, breites Wehrgehänge; Begriff aus der Heeressprache des 17. Jh.s.

6,21 *Perpendikel:* lat., hier: Uhrpendel.

6,28 *herumvagieren:* lat., mundartlich noch gebraucht für umherschweifen, ohne feste Beschäftigung unstet umherziehen; vgl. Vagabund.

7,6 *diskurrieren:* lat., sich unterhalten, etwas erörtern.

7,12 *Kavalier:* lat.-ital.-frz., hier: Standesbezeichnung für einen Angehörigen des höfischen Adels (wörtlich: Reiter, Ritter).

8,20 *meditiert ich:* lat., dacht' ich nach, sann ich.

9,28 *Tulipane:* pers.-türk.-ital., veraltet für Tulpe.

10,9 *Bursche:* alte Pluralform für Burschen.

10,13 *ein Rohrdommel:* heute allgemein *die* Rohrdommel, Reihervogel Mitteleuropas, lebt gut getarnt im Rohrwald.

11,13 *Alpe:* Alp, Alm, Hochweide.
Wunderhörner: Anspielung auf Volksliedsammlungen wie »Des Knaben Wunderhorn« (1806–08) von Clemens Brentano und Achim von Arnim.

11,14 *Herbarien:* lat., Sing. Herbarium, systematisch angelegte Sammlung gepreßter Pflanzen und Pflanzenteile.

13,16 *hineinparlierte:* parlieren, frz., rasch und eifrig sprechen, plaudern.

13,20 *Dintenfasse:* Dinte früher andere Schreibweise neben Tinte.

13,26 *Meriten:* lat., Verdienste.

14,3 *kommod:* lat.-frz., bequem, angenehm.

15,16 *Metier:* frz., Beruf, Aufgabe, Gewerbe, Beschäftigung.

16,6 *Jagdhabit:* Habit, lat.-frz., ursprünglich Amts- oder Ordenskleidung, später auch allgemein Anzug, Kleidung.

16,26 *Reuter:* frühnhd. Form von Reiter.

17,2 *vom Transport bis zum Latus:* Begriffe der alten Handelssprache, Transport = der Übertrag auf eine neue Seite, Latus = die unten an einer Seite gezogene Additionssumme.

17,18 *Parasol:* lat.-ital.-frz., Sonnenschirm.

19,11 f. *Galanterie:* arab.-span.-frz., höflich zuvorkommendes, aufmerksames Verhalten gegenüber dem weiblichen Geschlecht.

19,12 *Kapriolen:* lat.-ital., wunderliche, närrische Sprünge.

19,23 *Melancholie:* griech.-lat., Trübsinnigkeit, Schwermut, Niedergeschlagenheit.

21,22 *Larve:* lat., Gesichtsmaske.

22,3 *Flechsen:* Sehnen.

22,17 *Reputation:* lat.-frz., Ansehen, guter Ruf.

22,22 *Vivat:* lat., Lebehoch (wörtlich: er lebe).

23,5 f. *Serenade:* lat.-ital.-frz., instrumentale oder vokale Abendmusik, Ständchen.

23,13 *verwenden:* hier im Sinne von abwenden gebraucht.

26,14 f. *Pomeranzen:* pers., lat., bittere, apfelsinenartige Früchte.

26,16 *Konduite:* lat.-frz., Betragen, Führung, gutes Benehmen.

28,10 *Kamisol:* lat.-ital.-frz., Unterjacke, Wams.

28,12 *Poperenzen:* Wortverdrehung für Pomeranzen.

28,21 *Knollfink:* Schimpfwort, Knolle, Knollen = grober Kerl, plumper Mensch; vgl. Schmutzfink.

29,28 *attent:* frz., aufmerksam, wachsam, pflichtgetreu.

31,2 *haspelte:* haspeln = auf die Haspel (Garnwinde)

wickeln; in übertragenem Sinn hier: mit übertriebenen, umständlichen Bewegungen herumsuchen.

31,9 *Stampe:* mundartlich für ein Trinkglas mit dickem Fuß.

32,8 *Kopftremulenzen:* lat., Kopfzittern, – beben.

32,13 *Ladstock:* Stab zum Einschieben der Ladung in den Lauf von Vorderladegewehren.

32,23 f. *balbiert:* mundartlich für barbieren, frz, = die Haare schneiden, rasieren; die Redewendung *übern Kochlöffel balbiert* ist hier wörtlich gemeint: um hohle, eingefallene Wangen auszugleichen, wurde dem Kunden ein Löffel in die Backe geschoben.

32,27 *hundsföttische:* schurkische.

32,34 *durch die Fistel:* mit hoher Kopfstimme; lat. fistula = Röhre, Rohrpfeife, Hirtenflöte.

32,36 *Feldscher:* eigentlich Militärbarbier, Sanitäter, dann auch ›Chirurg‹, da beide Tätigkeiten häufig von der gleichen Person ausgeübt wurden.

33,1 *Rage:* lat.-frz., Wut, Raserei, Übereifer.

33,5 *embrassieren:* lat.-frz., umarmen, küssen.

34,9 *martialisch:* lat., grimmig, wild, kriegerisch; Mars = röm. Kriegsgott.

35,3 *Räson:* lat.-frz., Vernunft, Einsicht.

36,11 *Schnapphahn:* Wegelagerer, Straßenräuber.

36,30 *vazierst:* vazieren, lat., = ohne Beschäftigung sein, dienstfrei haben.

36,31 *Vakanz:* lat., eigentlich freie Stelle, mundartlich für Ferien gebraucht.

38,15 *Come è bello!:* ital., = Wie schön er ist!

40,10 *Diskurse:* lat., Gespräche, Erörterungen.

40,19 *Filet:* lat.-frz., hier: Netzarbeit, Netzstoff, mit großen Durchbrüchen gemusterte Wirkware.

40,25 *Vehemenz:* lat., Heftigkeit, Ungestüm, Schwung.

41,1 *Kommodität:* Substantiv zu kommod, Bequemlichkeit.

41,2 *lüderlich:* alte, fälschlich von ›Luder‹ abgeleitete Nebenform zu liederlich.

41,27 *Servitore:* ital., = Diener.
  arriware: arrivare, ital., = ankommen.

41,29 f. *Parlez-vous français?:* frz., = Sprechen Sie Französisch?

42,6 *Klafter:* Längenmaß, ursprünglich bestimmt durch die Spannweite der seitwärts ausgestreckten Arme (zwischen 1,7 und 2,5 m), auch Raummaß für Scheitholz (1 K. = 3,338 cbm).

42,13 f. *passatim:* vermutlich an lat. passim (= da und dort, zerstreut, allenthalben) angenäherte Schreibung von gassatim, Wort der Studentensprache für ›in den Gassen auf und ab gehen‹, herumschlendern.

43,12 *Hoppevogel:* lautmalender Name des Wiedehopfs, von seinem Ruf ›hupupup‹ abgeleitet.

45,8 *Kanapee:* griech.-lat.-ital.-frz., Sitzsofa.

47,33 *in der andern:* vermutlich Schreibirrtum Eichendorffs oder Druckfehler der Erstausgabe; möglicherweise zu korrigieren in: ›an der andern‹ oder ›in der Hand‹.

48,1 f. *Kratzfüße:* eine Art von Verbeugungen, bei denen man den Fuß scharrend nach hinten zieht.

48,6 *Bagage:* frz., hier: Gepäck.

48,23 *Konfekt:* lat., feine Zuckerwaren, Gebäck.

49,4 *poverino!:* ital., = Ärmster!

49,13 *delikat:* lat., hier: lecker, wohlschmeckend.

49,21 *felicissima notte!:* ital., = glücklichste Nacht!

51,8 *ordinäre:* lat.-frz., alltägliche, gewöhnliche.

51,17 *Kaputrock:* in der österr.-schweiz. Mundart langer Überrock, Soldatenmantel.

52,5 *Kadenzen:* lat.-ital., hier: aus dem Stegreif, frei erfundenes musikalisches Spiel mit einem oder mehreren Hauptthemen.

52,6 *Variationen:* lat., hier: melodische Veränderungen eines Themas oder eines kurzen, charakteristischen Tonsatzes.

54,25 *Päonie:* griech.-lat., Pfingstrose.

56,14 *Basilisk:* griech.-lat., Fabeltier mit todbringendem Blick.

59,9 f. *Idio und cuore und amore und furore:* ital., = Gott (Iddio) und Herz und Liebe und Raserei.

64,15 *abkonterfeien:* lat.-frz., abbilden, abmalen.

68,11 *Rumor:* lat., Lärm, Unruhe.

69,9 *Gebauer:* im 17. und 18. Jh. für Vogelbauer gebräuchlich.

69,12 *furfante:* ital., = Spitzbube, Strolch.

70,22 f. *Tableau:* lat.-frz., hier: wirkungsvoll gruppiertes sog. lebendes Bild.

70,25 *Hummelschen Bilde:* Gemeint ist Johann Erdmann Hummel (1769–1852), dessen Bild »Gesellschaft in einer italienischen Locanda« E. T. A. Hoffmann am Anfang seiner Erzählung »Fermate« beschreibt, die 1816 im Frauentaschenbuch erschien.

70,35 *hinfüro:* von jetzt an.

70,36 *Duca:* lat.-ital., Adelstitel, Herzog.

72,7 *flanierte:* frz., ging hin und her. – Im Erstdruck – wahrscheinlich fälschlich – ›flankierte‹.

72,22 *deliziöser:* lat.-frz., köstlicher.

72,24 *Divertissement:* lat.-frz., hier: Tanzvergnügen.

72,31 *korpulent:* lat., beleibt.

72,36 *gescheut:* alte Schreibweise von gescheit, fälschlich von ›scheuen‹ statt von ›scheiden‹ abgeleitet.

73,1 *Kastagnetten:* griech.-lat.-span.-frz., spanische Handklappern aus je zwei Holzplättchen, zur Betonung des Rhythmus beim Tanz.

75,23 *Satyr:* griech., Waldgott, Faun, Fruchtbarkeitsdämon im Gefolge des Dionysos, meist mit menschlichem Oberkörper, Pferde- oder Bocksbeinen und Schwanz dargestellt.

76,4 *Säkulum:* lat., Jahrhundert.

77,23 *Pike:* frz.-ndl., eine Pike auf einen haben = jemandem grollen.

77,36 f. *Faulbettchen:* älteres Wort für Kanapee, Sofa.

78,10 *Mordio!:* ital., = Mord, zu Hilfe!

79,26 *Amour:* frz., Liebe, Liebschaft; gemeint ist die von dem Taugenichts verehrte schöne junge Frau.

79,33 *desperate:* lat., verzweifelte; hier: verwirrte, ängstliche.

81,9 *akkompagnierten:* frz., begleiteten (mit ihren Instrumenten).

81,19 *Viatikum:* lat., Wegzehrung.

81,33 *Kollation:* lat., hier kleine Zwischenmahlzeit, Imbiß.

82,11 *Dreimännerwein:* im Volksmund durch ›Dreimänner‹ für ›Traminer‹ entstanden; bezeichnet einen schlechten, sauren Wein. Wer ihn trinken will, muß von einem zweiten festgehalten werden, und ein dritter muß ihn eingießen.

82,16 *Ornat:* lat., feierliche Amtstracht; hier: kaiserlicher Schmuck.

82,30 f. *point d'honneur:* frz., Ehrgefühl.

82,31 f. *odi profanum vulgus ...:* lat., = ich hasse das gemeine (= niedrige) Volk und halte es mir fern (Beginn einer Ode von Horaz).

82,36 *Sermone:* lat., Reden, Ansprachen.

83,2 *applizieren:* lat.-frz., hier: sich widmen, sich konzentrieren auf.

83,3 *Konfrater:* lat., ›Mitbruder‹, Amtsbruder.

83,3 f. *Clericus clericum non decimat:* lat., = der Kleriker (Geistliche) stellt nicht den Kleriker bloß.

83,6 *Karlsbad:* böhmischer Ort für Bade- und Trinkkuren, an der Eger, im NW der Tschechoslowakei.

83,7 *distinguendum est inter et inter:* lat., = es ist zu unterscheiden zwischen (dem einen) und (dem andern).

83,8 *quod licet Jovi, non licet bovi:* lat., = was Jupiter (Zeus) erlaubt ist, ist dem Ochsen (noch lange) nicht erlaubt.

83,17 *Aurora musis amica:* lat., = die Morgenröte ist die Freundin der Musen.

83,27 *perfektionieren:* lat., vollenden, vervollkommnen.

84,21 f. *Kompendien:* lat., Sing. Kompendium, kurzes, zusammengefaßtes Lehrbuch, Abriß, Handbuch.

85,2 *Passage:* lat.-frz., hier: aus melodischen Figuren zusammengesetzter Lauf, Tonfolge.

85,13 *Kondiszipels:* lat., Mitschüler, Mitstudenten.

85,35 f. *Engländer:* hier: gestutztes, kurzes Pferd (equus curtus).

87,26 *ludi magister:* lat., = ›Meister des Spiels‹.

88,6 *Devotion:* lat., hier: Ehrerbietung.

88,11 *in Kondition kommen:* eine Stellung antreten, in Dienst genommen, eingestellt werden.

90,16 *Valet:* lat., Lebewohl, Abschied.

90,19 f. *Et habeat ...:* lat., = Der habe guten Frieden, der hinterm Ofen sitzt.

90,31 f. *Venit ex sua domo ...:* lat., = Kommt jener glückliche Mensch (= der Wirt) aus seinem Haus.

90,34 *Boreas:* hier für kalten Nordostwind; der Boreas weht eigentlich im Sommer im Gebiet des Agäischen Meeres.

91,7 ff. *Beatus ille homo ...:* lat., = Glücklich jener Mensch, der in seinem Hause sitzt und hinter dem Ofen sitzt und guten Frieden hat.

91,29 *rekommandiert:* lat.-frz., empfohlen.

94,19 *Freischützen:* Gemeint ist die damals sofort populär gewordene Oper »Der Freischütz« von Carl Maria von Weber (1786–1862); der hier abgedruckte Chor der Brautjungfern wurde über Nacht zum Schlager.

95,5 *Bastionen:* frz., Bollwerk einer Festung; hier in übertragenem Sinn: Schranken.

95,9 *Arkadien:* rauhes Hochland auf der Peloponnes, bereits von der Spätantike zum Schauplatz der Schäferdichtung gemacht. Die literarische Tradition hob die lokale Bindung auf und machte ›Arkadien‹ zu einer Wunschlandschaft schlechthin und zum topischen Äquivalent des ›Goldenen Zeitalters‹.

Als Joseph von Eichendorff 1826 seinen »Taugenichts« erscheinen ließ, hatte der 1788 auf Schloß Lubowitz in Oberschlesien geborene Dichter seine romantisch bewegten Jünglings-, Lehr- und Wanderjahre längst hinter sich. Er war als Regierungsrat bei der Preußischen Verwaltung in Königsberg ein pflichteifriger, von seinen Vorgesetzen hochgeschätzter Beamter, und er war glücklicher Gatte und Familienvater. Mit dieser Lebenssituation scheint seine »wundersam hoch und frei und lieblich erträumte Novelle«, wie Thomas Mann sie charakterisiert, nichts zu tun zu haben, fast stellt sie eine Gegenwelt zu ihr dar mit ihrem einfältigen Müllersjungen, der mit dem ersten Frühling hinauszieht in die weite Welt, um dort »sein Glück zu machen«, nur mit wenigen Groschen in der Tasche (die er auch noch bald verliert), aber mit seiner lieben Geige als Begleiter, auf der er im freien Feld spielt und sein Lied dazu singt. »Taugenichts« nennt ihn sein Vater, der ihn wegen seiner Trägheit nicht länger zu Hause in der Mühle brauchen kann, und dieser Name bleibt ihm, einen andern erfahren wir nicht. Er bleibt ihm bei seinen bunten Abenteuern, durch alle die süßen und schmerzlichen Erlebnisse, die holden und tollen Wirrnisse, in die er mehr passiv als aktiv verwickelt wird, bis er zum guten Ende seine »vielschöne hohe Fraue«, die Angebetete seines Herzens gewinnt – »und es war alles, alles gut«. Diese Geschichte ist trotz ihren äußeren Irrungen, Wirrungen, Verwechslungen und Verkleidungen im Grund so einfach, daß sie eines Kommentars kaum bedarf. Aber es wäre falsch, in ihr bloß eine harmlose Unterhaltungslektüre aus längst vergangenen Tagen zu sehen. In ihrer harmlosen Fröhlichkeit und Seligkeit und mit ihren romantischen Stimmungen und Schimmern, die der heutigen Zeit und Jugend ferner gerückt sind, ist sie tief, in ihrem Wesen unveraltet, sie ist ein kleines Wunderwerk.

Man muß vor allem die *Lieder* befragen, die nicht als

»Einlagen« in ihr stehen, sondern recht eigentlich ihre Substanz und Seele sind. Zwar ist das Werk auch in den Prosapartien oft ein verkapptes lyrisches Gedicht. Aber diese Lieder – »Kleinode, hochberühmt, die hier an ihrer eigentlichen Stelle stehen« (Th. Mann) – verdichten und tragen das Geschehen zu Höhepunkten und durchströmen die Märchennovelle mit ihren Melodien. Das erste dieser Lieder, »Wem Gott will rechte Gunst erweisen«, schlägt den Grundton, das Hauptmotiv an – es ist das Lied der Wanderseligkeit und des Gottvertrauens, tiefer noch der Gotteskindschaft, in der sich der Taugenichts in allem, was ihm begegnet, geborgen und erhalten weiß. Das Lied von der »vielschönen hohen Fraue« ist das zweite durchgehende Leitmotiv, und wenn es von der »Liebe ohnegleichen« spricht, »die ewig im Herzen steht«, so ist das Wort »ewig« im Munde dieses naiven Jungen ganz echt und schlicht, keine poetische Floskel. »Schweigt der Menschen laute Lust«, das Lied, das der junge Maler Guido (in Wirklichkeit ein verkleidetes Fräulein) »wie eine Nachtigall« singt, ist in der Erzählung dadurch besonders als ein inneres Zentrum hervorgehoben, daß es zweimal erklingt (im 4. und im 10. Kapitel). Es weitet den Blick in das große umfassende Geheimnis der Schöpfung, in dem dunklen Wechselgespräch von träumender, aufrauschender Erde und den »wetterleuchtend« durch die Brust schweifenden, kaum bewußten Ahnungen der Seele: ein Nachtlied von nur sieben Verszeilen, das eines der unergründlichen und schönsten Eichendorffs ist. »Wer in die Fremde will wandern« ist ein weiteres Leitmotiv dieser von Fernensehnsucht und Heimweh durchpulsten Erzählung; auch in diesem Lied dämmern tiefere Gründe auf mit dem Wort von der »alten, schönen Zeit«, die für Eichendorff auch die »goldene Zeit«, das verlorene Paradies bedeutet – daß es hier der ahnungslose Taugenichts singt, läßt es nur fremdartig-wunderbarer auftönen. Und das lustige Lied der Prager Studenten mit dem Refrain »Beatus ille homo, qui sedet in sua domo« hat im

Munde dieser Fahrenden, »von Schnee und Regen naß«, einen parodistischen Klang, der das Hauptthema eines nicht in bürgerlicher Sekurität zufriedenen und befriedeten, sondern von Sehnsucht getriebenen jungen Lebens nochmals variiert und unterstreicht. Und hiermit wird der Kern des kleinen Werkes berührt.

Es hat keine Tendenz im gewöhnlichen Sinne – paradox könnte man sagen, eine solche bestehe eben in seiner Tendenzlosigkeit. Es ist der *reine Mensch*, der uns in diesem Wanderburschen leibhaftig entgegentritt, in der besonderen, deutschen Spielart des »reinen Toren«, der seine literarischen Ahnherrn im Parzival Wolframs und im Simplizissimus Grimmelshausens hat. Hier aber ist er in die äußerlich friedliche, aber beengte, drückende Welt des Biedermeier gestellt, selbst freilich gar nicht biedermeierlich, sondern ein »armer Lump« und Vagant, der sich komisch genug ausnimmt in der aristokratischen Gesellschaft, in die er hineingerät, und in der bürgerlichen Ordnung überhaupt. Aber – so sieht es der Dichter – eigentlich ist er, der Taugenichts, in der rechten Ordnung, und die Gesellschaft der Biedermeierzeit wird in ihren verschiedenen Typen deutlich ironisiert und karikiert. Der Taugenichts besitzt in seiner treuherzigen, tumben Art ein höchstes Gut, das zum Menschen so notwendig gehört wie die Luft, die er einatmet: die Freiheit, die durch die bürgerliche Ordnung allein nicht gewährleistet ist (und es auch und zumal im Zeitalter des Biedermeier nicht war). Diese Freiheit aber gründet für Eichendorff, der ein gläubiger Christ war, in der Bindung des Menschen an Gott. Das läßt seine Erzählung zart, ganz untendenziös, aber um so inniger durchschimmern. Denn ein Sonntags- und Gotteskind ist sein Märchenheld von Anfang bis Ende, und wenn er von seinem »Glück«, dem »großen Glück« spricht oder träumt, so meint er in der Einfalt seines Herzens die Glückseligkeit, die beatitudo. Daß diese nicht in Glücksgütern äußerer Art besteht, auch nicht im sozialen Aufstieg zu höherem Stand, besagt die hübsche

111

Pointe des Schlusses, da die »vielschöne hohe Frau« sich als ein Kind des Volkes entpuppt, wie der Taugenichts selbst eines ist. Mit ihr gewinnt er sein »Glück« und pfeift wohl auf die vornehme Gesellschaft in seiner gutmütig-schalkhaften Art. Daß der konservativ, aber nie reaktionär gesinnte Beamte Eichendorff hier ein solch einfaches Volkskind zu seinem liebenswürdigen Helden macht und dessen Geschichte nur von ihm selbst erzählen läßt, ohne jemals den Ton zu verfehlen, zeigt ihn als den »unverbesserlichen« Dichter, der sich in tiefster Seele eins fühlt mit diesem singenden Wandersmann. Dichter und Wanderer sind ihm Verwandte in fast allen seinen Erzählungen, und diese Wanderschaft wird ihm zuletzt zum Gleichnis der irdischen Pilgerschaft ins Ewige. Nirgends sonst aber ist diese geheime Verwandtschaft ihm zu solch schlackenlos reiner Verbindung gediehen und Bild und Klang geworden wie in dieser Erzählung, die ein Glücksfall ist im Schaffen Eichendorffs.

Sie ist auch ein Glücksfall in der Geschichte unserer Literatur. Benno von Wiese meint, diese weitgehende Identität von Poesie und Wirklichkeit sei nur an der Grenze von Romantik und Biedermeier möglich gewesen, in einem geschichtlichen Augenblick »romantisch genug, um die Wirklichkeit in ein Märchen zu verzaubern, wirklichkeitsnah genug, um uns dennoch im realen Leben festzuhalten«. Dies reale Leben umfaßt hier die Weite der Welt, für welche Österreich und Italien als die Länder einer südwärts gerichteten Sehnsucht stehen, und ein Klang österreichischer Musik – von Mozart oder Schubert – weht durch viele Seiten, wie das »Wunderland Italien« (das Eichendorff nie gesehen hat) der Erzählung einen leicht phantastischen, bunt-verworrenen Reiz gibt. Stärker aber noch ist ihr *innerer* Reiz und Zauber, der über alle Formen von Romantik und Biedermeier hinweg lebendig zu uns spricht.   K. N.